Le piège Daech

DU MÊME AUTEUR

La Formation de l'Irak contemporain, CNRS Éditions, Paris, 1991, 2002.

La Question irakienne, Fayard, Paris, 2002, 2004.

La Vie de l'ayatollah Mahdî al-Khâlisi par son fils (*Héros de l'islam*), traduit de l'arabe et annoté par P.-J. Luizard, La Martinière, Paris, 2005.

Le Choc colonial et l'islam. Les politiques religieuses des puissances coloniales en terres d'islam (dir.), La Découverte, Paris, 2006.

Laïcités autoritaires en terres d'islam, Fayard, Paris, 2008.

Comment est né l'Irak moderne, CNRS Éditions, Paris, 2009.

Les Sociétés civiles dans le monde musulman, (dir. avec A. Bozzo), La Découverte, Paris, 2011.

Les Polarisations politiques et confessionnelles : la place de l'islam dans les « transitions » arabes (dir. avec A. Bozzo), RomaTrE-Press online, 2015.

Pierre-Jean Luizard

Le piège Daech

L'État islamique ou le retour de l'Histoire

La Découverte
9 *bis*, rue Abel-Hovelacque
75013 Paris

Si vous désirez être tenu régulièrement informé de nos parutions, il vous suffit de vous abonner gratuitement à notre lettre d'information par courriel, à partir de notre site

www.editionsladecouverte.fr

où vous retrouverez l'ensemble de notre catalogue.

ISBN   978-2-7071-8597-6

L'écriture de ce livre s'est achevée quelques jours avant les événements des 7-9 janvier, l'exécution sommaire de la rédaction de *Charlie-Hebdo*, le meurtre d'une policière à Montrouge et l'assassinat de quatre personnes de confession juive dans une supérette casher à la Porte de Vincennes.

En dépit de leurs répercussions immenses, en France et ailleurs, je n'ai pas souhaité intégrer une analyse de ces événements tragiques qui, à mes yeux, n'invalident pas le propos de cet ouvrage.

P.-J. Luizard, 12 janvier 2015

Introduction

Depuis quelques années, la situation en Irak avait cessé de faire la une des médias occidentaux, qui ne s'y intéressaient qu'à l'occasion d'élections ou d'attentats particulièrement sanglants. Le pays semblait embourbé dans une sorte de « guerre de basse intensité », englué dans un processus politique passablement chaotique que seuls quelques spécialistes de la région semblaient pouvoir décrypter.

L'année 2014 a changé la donne. En un temps record, un nouvel acteur, l'État islamique, s'est imposé au centre de la scène politique irakienne puis syrienne, créant une « nouvelle donne » à l'échelle de l'ensemble du Moyen-Orient. Et les médias occidentaux, incrédules, ont découvert ce qui leur apparaissait comme une sorte d'« OVNI politique », une armée de djihadistes surgie de nulle part que nul ne semblait pouvoir arrêter[1].

Pourtant, nombreux étaient les signes avant-coureurs de cet événement géopolitique majeur. De 2003 à 2008, pendant l'occupation américaine, une guerre confessionnelle entre sunnites et chiites a ensanglanté l'Irak, un conflit sans précédent dans la longue histoire des relations entre les deux grandes communautés musulmanes de ce pays : des centaines de milliers de morts, en grande majorité chiites, et un processus de fragmentation et de communautarisation territoriales, dont Bagdad demeurera le symbole. Dans cette métropole de sept millions d'habitants, chiites et sunnites ont longtemps vécu côte à côte, parfois dans des quartiers mixtes, notamment le centre-ville. Bagdad abritait autant de chiites que de sunnites. Cette coexistence avait tant bien que mal résisté à la lente descente aux enfers de la société irakienne qu'un enchaînement de tragédies, dont la

---

1. Dans la suite du texte, j'opte pour l'utilisation de l'expression « État islamique », plus neutre que le terme « Daech », acronyme de l'arabe *Dawla islâmiyya fî al-'Irâq wa ach-Châm* (État islamique en Irak et au Levant) qui est utilisé par les adversaires politiques affichés de l'État islamique.

première fut la guerre entre l'Irak et l'Iran (1980-1988), ne pouvait arrêter. La guerre confessionnelle des années 2000, conséquence directe de la guerre et de l'occupation américaine de 2003, s'est soldée par un nettoyage confessionnel qui a vidé des quartiers entiers de leur population sunnite. Au prix de milliers de morts, les milices chiites ont réussi à chasser les sunnites et à faire de Bagdad une ville majoritairement chiite, tandis que les anciens quartiers mixtes disparaissaient quasiment.

Un épisode du début de l'année 2014 illustre bien la continuité de cette histoire irakienne. Un convoi de l'armée irakienne est intercepté au nord de Bagdad par des combattants djihadistes, probablement membres de l'État islamique en Irak et au Levant (le nom de l'État islamique jusqu'en juin) ou liés à lui. Ils font descendre les soldats de leurs fourgons et leur intiment l'ordre de faire leur prière. L'intention est claire : il s'agit d'identifier les chiites. Sunnites et chiites n'ont en effet pas les mêmes gestes lors de la prière. Les ablutions se pratiquent aussi de façon différente. Pressentant le danger, les soldats chiites tentent de faire leur prière selon la gestuelle sunnite, mais la plupart se trahissent par des « fautes » qui les désignent comme chiites. Les soldats sunnites sont épargnés, tandis que les chiites sont sommairement abattus.

La puissance et la visibilité de l'État islamique se sont brutalement accrues avec l'extension de ses ambitions politico-militaires à la Syrie voisine, elle aussi engagée dans une guerre civile meurtrière depuis 2012, et surtout la proclamation du califat par le leader de l'organisation, Abou Bakr al-Bagdadi, sur un territoire à cheval sur les deux pays. L'ambition proclamée de construire un État par ce qui n'était qu'un petit groupe salafiste-djihadiste parmi d'autres a, de fait, pris de court tous les acteurs locaux et internationaux. L'incroyable expansion territoriale, réalisée en un temps record, et la guerre déclarée aux États de la région et aux puissances « mécréantes » ont très vite donné au phénomène une dimension mondiale. La crise des États, une conséquence des printemps arabes et de l'occupation américaine en Irak, est aussi celle des autorités religieuses sunnites qui étaient traditionnellement liées à ces États. Leur disparition, dans un contexte général d'éclatement de l'autorité religieuse sunnite, laisse une situation de vide que l'État islamique a su exploiter.

Tétanisés par les crimes et massacres mis en scène par l'État islamique, les pays occidentaux ont mis sur pied en toute hâte une vaste coalition militaire à laquelle ont adhéré la plupart des États arabes qui se sentaient menacés (Jordanie, Arabie saoudite, Émirats arabes unis, Bahreïn, Qatar). Mais la faiblesse majeure de cette coalition reste l'absence de projet politique pour une région en pleine recomposition. Et il semble évident que la force militaire ne pourra, à elle seule, venir à bout d'un ennemi déterminé et aux ressources importantes.

Le propos de ce livre est de tenter d'expliquer le succès rapide de l'État islamique et de comprendre comment et pourquoi les puissances occidentales sont tombées dans le piège qu'il leur a tendu en les impliquant dans sa guerre. Pour cela, un retour sur l'Histoire est indispensable. L'histoire courte, avec l'occupation américaine de l'Irak, l'irruption des printemps arabes, mais aussi l'histoire longue, avec la genèse des États arabes créés sous l'égide des mandats britanniques et français. Car c'est bien un bouleversement général du Moyen-Orient, tel qu'on le connaît depuis près d'un siècle, qui se déroule sous nos yeux, effet direct d'un retour brutal – et pourtant prévisible – de l'Histoire.

1.

L'irruption de l'État islamique

L'irruption fulgurante de l'État islamique au Moyen-Orient a provoqué une sorte de sidération tant sur la scène internationale qu'au niveau des élites politiques régionales. Pour la première fois, un groupe salafiste affichait clairement l'objectif d'occuper un territoire géographique avec l'ambition de construire un État.

Les ingrédients d'un succès

Même si le projet de l'État islamique est en germe au cours des années 2012 et 2013, c'est en janvier 2014, avec l'occupation de Falloujah, une des plus grandes villes de la province irakienne occidentale d'Al-Anbar, qu'il commence à prendre forme : une grande agglomération située à seulement 60 kilomètres à l'ouest de la capitale Bagdad échappe alors durablement au contrôle d'un gouvernement qui se montre incapable de la reprendre. L'occupation de cette ville marque aussi une forte rupture symbolique. Falloujah avait vécu des heures très difficiles, notamment en 2004, lors de l'insurrection des principales tribus de la ville et de ses environs contre l'occupation américaine. Dix ans après, malgré les illusions temporaires d'un ralliement des forces vives de la population locale au projet parrainé par les États-Unis, à savoir la reconstruction de l'État irakien dans un cadre fédéral, la défection de Falloujah semble sonner le glas de l'intégration d'une des communautés fondatrices de la société irakienne, la communauté arabe sunnite.

Il faut dire que, pendant plusieurs mois, les autorités irakiennes et américaines ne prennent pas la mesure de l'importance de la conquête de Falloujah. Leur politique de l'autruche les conduit à laisser croire que la perte de cette ville est temporaire et qu'elle n'a aucune portée politique à l'échelle de l'ensemble de l'Irak. Mais, si l'on revient sur la façon dont ce qu'on peut appeler la « seconde insurrection de Falloujah » a triomphé, on peut déjà y repérer un *modus operandi* très caractéristique de l'État islamique, que l'on verra se reproduire au mois de juin dans des gouvernorats irakiens situés plus au nord, notamment à Mossoul. C'est cette façon spécifique de procéder qui explique pourquoi un simple groupe salafiste-djihadiste a réussi à s'imposer et à provoquer la déroute totale de l'armée irakienne.

Les ingrédients du succès initial de l'État islamique ne sont pas d'ordre militaire. L'État islamique apparaît certes comme une avant-garde armée capable de bouter l'armée irakienne hors d'un certain nombre de villes et de territoires mais, contrairement à ce qu'a fait Al-Qaïda en 2003 et 2004 – notamment à Falloujah, à Ramadi et dans d'autres agglomérations de la province d'Al-Anbar –, il ne s'impose pas à la population locale comme une force d'occupation étrangère ou ressentie comme telle. Sa stratégie, très différente, repose sur la restitution du pouvoir local, dans chacune de ces villes, à des acteurs locaux. Ce processus est extrêmement rapide, aussi bien à Falloujah que dans les autres grandes villes irakiennes tombées aux mains de l'État islamique en juin 2014, notamment Mossoul et Tikrit. Quelques mois auparavant, des villes syriennes de la vallée de l'Euphrate, comme Raqqa ou Deir ez-Zor, avaient connu, les premières, la même expérience : dès le lendemain ou le surlendemain de la victoire, l'État islamique organise une passation de pouvoir à des chefs tribaux, des chefs de clan et des leaders de quartier qui sont investis de la responsabilité de gérer la ville à un certain nombre de conditions. Parmi ces conditions, l'allégeance exclusive à l'État islamique et l'interdiction de déployer d'autres emblèmes officiels que ceux de l'organisation, ainsi que l'obligation de se plier aux injonctions des djihadistes en matière de mœurs.

Cette passation de pouvoir répond aux aspirations d'acteurs locaux pour lesquels l'armée irakienne aux ordres du pouvoir de Bagdad, sous la direction du chiite Nouri Al-Maliki, s'est transformée en une véritable armée d'occupation. C'est le cas à Falloujah, mais aussi à Tikrit ou à Mossoul, où l'armée irakienne a réprimé par des bombardements aveugles des manifestations pacifiques et des sit-in organisés pour protester contre la marginalisation politique de la communauté arabe sunnite qui reprenaient pour l'occasion un certain nombre de mots d'ordre démocratiques des printemps arabes – notamment le refus du despotisme et de l'autoritarisme du pouvoir en place, la liberté d'expression, la citoyenneté égale pour tous, etc. À Mossoul, pendant l'année 2013 et le premier semestre de 2014, des exécutions extrajudiciaires ont lieu par dizaines de la part des forces gouvernementales, notamment la police. Le lieutenant Mahdi al-Gharawi, à la tête de la police irakienne dans la ville, est encore considéré par les Mossouliotes comme un assassin qui s'est servi de la « guerre contre l'extrémisme » comme d'une couverture pour extorquer de l'argent et menacer les habitants d'arrestation ou de mort.

On comprend donc pourquoi les combattants de l'État islamique, en janvier à Falloujah, puis en juin à Tikrit, Mossoul et ailleurs, sont considérés par une bonne partie de la population locale comme une armée de libération. Dans toutes ces régions arabes sunnites, l'armée irakienne était souvent qualifiée de « *check point army* », plus habilitée à exercer un contrôle tatillon des déplacements des habitants, rendant la vie proprement infernale – on mettait parfois plusieurs heures pour faire à peine quelques kilomètres – sans pour autant garantir un climat de sécurité minimale, puisque des attentats, souvent commis par des cellules dormantes de l'État islamique, continuaient à viser des cibles et des personnalités locales. Ces

« *check points* », ces barrages omniprésents, n'étaient d'ailleurs pas seulement contrôlés par l'armée, mais aussi par des milices de clans locaux alliés à l'armée, avec tout l'arbitraire qui s'ensuivait.

Il faut rappeler à ce sujet que, comme chacun sait, l'Irak est un pays pétrolier et que les revenus de l'extraction des hydrocarbures n'ont pratiquement pas cessé d'augmenter depuis 2003. Or la rente pétrolière a été un outil entre les mains des différents gouvernements pour s'acheter les loyautés de clientèles locales et s'attacher les services de milices claniques. Le gouvernement de Nouri al-Maliki, qui a le plus intensément eu recours à ce clientélisme, a rompu avec la politique américaine consistant à salarier les milices sunnites dans le but de les apprivoiser, préférant acheter directement la loyauté d'un certain nombre de leaders et de notables, toutes confessions confondues. Ce qui explique les poches de prospérité qui pouvaient exister dans certains quartiers de Mossoul, par exemple, au beau milieu d'une masse de misère. L'État islamique s'est alors fait un devoir de rendre public le luxe insolent accumulé par les alliés et les clients du régime, comme en témoigne une vidéo mise en ligne en septembre 2014 où l'on voit les miliciens de l'État islamique investir le « palais » d'Oussama al-Noujayfi – un politicien de Mossoul rallié au pouvoir de Bagdad, où il a occupé le poste de président du parlement – et y trouver des tonnes de lingots d'or ! La mise en scène fait directement écho à certains épisodes des printemps arabes, comme la découverte par le peuple tunisien des palais de Ben Ali, et rappelle le souvenir de l'arrivée des soldats américains dans les palais et demeures de Saddam.

Outre cette « overdose » d'abus au niveau local, les habitants apprenaient régulièrement que certains représentants politiques à Bagdad, issus des élites sunnites locales, étaient soumis à des persécutions judiciaires systématiques sous des chefs d'accusation divers et variés, qui les forçaient à s'enfuir et à partir en exil – le cas le plus célèbre est celui du vice-président Tarek al-Hachemi, contraint de s'exiler au Koweït, puis en Arabie saoudite et, finalement, en Turquie. Pour la population de ces régions, tout cela signait l'échec de tout espoir d'intégration dans le système politique irakien à laquelle beaucoup avaient pourtant voulu croire – un échec dont le gouvernement de Nouri al-Maliki était rendu, non sans raison, largement responsable.

Durant toute l'année 2013, cette profonde insatisfaction se manifeste d'abord par des mouvements de protestation pacifiques qui, on l'a dit, reprennent les slogans du printemps arabe. Or, même si l'opinion occidentale n'en a guère conscience, ces protestations sont réprimées en Irak souvent avec la même brutalité que les manifestations pacifiques de la population syrienne l'ont été en 2011 et 2012 par le régime de Bachar al-Assad. En Irak comme en Syrie, notamment à Tikrit et à Mossoul, l'armée n'hésite pas à utiliser l'artillerie lourde et à larguer des barils bourrés de TNT sur des quartiers d'habitation, des hôpitaux et des écoles.

Le recours à ces méthodes fait basculer une population qui avait fait l'expérience des fameux conseils de réveil, des milices arabes sunnites armées et payées par les Américains à partir de 2006 à la condition qu'elles se retournent contre Al-Qaïda. Cette population constate que, de l'aveu même du Premier ministre Nouri al-Maliki, les autorités de Bagdad contrôlées par une majorité chiite ne sont pas disposées à intégrer plus de 20 % de ces miliciens sunnites, armés et payés par les Américains, dans l'armée irakienne, condamnant l'immense majorité de ces combattants – qui avaient pourtant apporté une contribution essentielle à la lutte contre Al-Qaïda en Irak – au chômage et à la marginalité. L'amertume est d'autant plus grande que l'armée irakienne, on le verra, était jadis l'épine dorsale du premier État irakien contrôlé par les Arabes sunnites pendant plus de quatre-vingts ans, leur ouvrant une voie de promotion sociale importante, avec des élites militaires bien formées et bien équipées, souvent issues de grandes familles sunnites de Bagdad ou de Mossoul.

Outre ce sentiment d'exclusion et de marginalité, il existait un profond rejet du niveau de corruption spectaculaire favorisée par la logique d'occupation d'une armée nationale se comportant dans les régions à majorité sunnite comme une armée étrangère. Il s'était constitué, par exemple, des réseaux clientélistes locaux qui allaient jusqu'à organiser des pénuries artificielles de denrées alimentaires de base pour faire monter les prix.

C'est ainsi que, lorsque l'État islamique entre à Falloujah en janvier 2014, puis dans plusieurs grandes villes du nord et dans le reste de la province d'Al-Anbar à la fin du printemps 2014, une des premières mesures des djihadistes est d'engager des actions emblématiques contre la corruption. À Mossoul, dans la foulée de leur victoire, les miliciens de l'État islamique exécutent ainsi publiquement les responsables désignés de la corruption, avant d'organiser une cérémonie de passation du pouvoir à des chefs de clan et notables de quartier qu'ils investissent du devoir de lutter contre ces pratiques. L'État islamique accorde également, dès le départ, une grande importance au rétablissement des services publics. Par exemple, on voit réapparaître sur les marchés à Mossoul un certain nombre de produits qui avaient fait l'objet de pénuries spéculatives, avec des prix parfois divisés par deux pour des denrées alimentaires de base. L'exécution des organisateurs des pénuries et de divers trafics est d'ailleurs largement mise en scène et médiatisée sous l'égide de l'État islamique avec, notamment, des décapitations et des crucifixions destinées à frapper les esprits et à marquer le contraste entre le nouveau pouvoir et le gouvernement de Nouri al-Maliki.

On accuse souvent l'État islamique d'organiser le trafic et l'exportation illicites de pétrole, mais il faut rappeler que la contrebande pétrolière vers l'Iran ou la Turquie est une pratique favorisée depuis longtemps par l'État irakien et ce, déjà, sous

Saddam Hussein. Dans le répertoire des faveurs accordées par Nouri al-Maliki à ses alliés locaux, il y avait justement l'accès à l'organisation et aux profits de ces trafics. Il est de notoriété publique que les Kurdes organisaient une noria permanente de camions-citernes exportant du pétrole vers la Turquie, tandis que, dans le sud du pays, un certain nombre de potentats locaux des partis chiites alliés du pouvoir faisaient de même en direction de l'Iran.

Un « État » ou une « organisation terroriste » ?

À partir de juin 2014, l'expansion littéralement stupéfiante de l'État islamique lui permet de conquérir pratiquement sans combat plus des trois quarts des zones arabes sunnites de l'Irak, avec tout le poids politique et symbolique que constitue en particulier la prise de Mossoul, une ville de plus de deux millions d'habitants – la deuxième du pays –, la future capitale religieuse de l'État islamique. C'est en effet depuis Mossoul que, le 29 juin 2014, Abou Bakr al-Bagdadi se proclame calife du haut du *minbar*, la chaire d'une mosquée de la ville.

L'armée irakienne déserte pratiquement sans combattre. Sur le papier, Mossoul est alors défendue par 25 000 hommes, soldats et policiers. En réalité, ils ne sont pas plus de 10 000. La majorité sont des soldats fantômes, des hommes qui abandonnent la moitié de leur solde à leurs supérieurs hiérarchiques pour pouvoir échapper à leurs obligations. Outre l'effondrement d'une armée irakienne peu motivée (dont une partie importante déserte au moment de l'offensive de l'État islamique), minée par la corruption et considérée comme un corps étranger et prédateur dans les régions sunnites, l'avancée de l'État islamique profite beaucoup de la « communautarisation » de la scène politique irakienne, qui se traduit dans ces régions par un accord explicite entre certains dirigeants kurdes (Massoud Barzani, président du gouvernement régional du Kurdistan irakien, et son entourage) et l'État islamique, un accord qui vise à partager un certain nombre de territoires. À l'État islamique le rôle de mettre en déroute l'armée irakienne, en échange de quoi les peshmergas, les combattants kurdes, ne feront pas obstacle à l'entrée des troupes djihadistes à Mossoul (la ville ne se situe qu'à quelques dizaines de kilomètres des zones kurdophones) et aux avancées vers le sud, vers Tikrit et la province multiconfessionnelle et multiethnique de Diyala.

Parallèlement et réciproquement, les Kurdes s'installent durablement dans des territoires mixtes arabo-kurdes et sunnites-chiites, souvent aussi peuplés par des minorités chrétiennes ou yézidies.

Le plus célèbre de ces territoires « disputés » revendiqués par les Kurdes est la région de Kirkouk, une région particulièrement riche en pétrole qui s'étend autour de cette ville traditionnellement multiethnique. On sait, par exemple, que des troupes de l'État islamique sont présentes dans les faubourgs de Kirkouk les 11 et 12 juin 2014, mais que, dans le cadre de leur marché avec les Kurdes, elles se retirent en bon ordre dès que les peshmergas sont annoncés. En revanche, dans la province stratégique de Diyala, à l'est de la capitale irakienne, les forces de l'État islamique progressent d'abord de façon importante en juin 2014, mettant Bagdad à sa portée, avant de devoir abandonner lors de combats intenses les positions conquises dans des zones qui ne sont pas majoritairement arabes sunnites. Dans le « grand jeu » communautaire qui régit l'Irak, d'autres dirigeants kurdes (ceux de Sulaymaniyya, bastion du parti de Talabani, l'Union patriotique du Kurdistan, rival du Parti démocratique du Kurdistan de Barzani) pactisent cette fois avec le gouvernement de Bagdad pour empêcher une occupation importante et durable de la province. Ce qui met un terme à l'entente ponctuelle entre Kurdes et État islamique, ce dernier se trouvant confiné aux régions majoritairement arabes sunnites.

Majoritairement, les Arabes sunnites, passivement pour les uns, activement pour les autres, acceptent l'État islamique parce qu'il leur permet de reconquérir une visibilité politique, *via* cette sorte de « label ». Mais, au fil des semaines et des mois, cette acceptation *a minima* d'un drapeau unique se mue progressivement en adhésion, d'abord partielle, au projet transnational de l'État islamique : les Arabes sunnites ont-ils un avenir acceptable dans le cadre d'un Irak dominé par la majorité chiite ? Ne devraient-ils pas plutôt se tourner vers leurs frères en islam et en arabité de la vallée de l'Euphrate au-delà de la frontière syrienne ?

À la différence d'Al-Qaïda, l'État islamique se caractérise bien ainsi par un souci de territorialisation du pouvoir qui met désormais en avant un État en construction, un souverain (le calife), une armée – et pas seulement un groupe de moudjahidin, comme les combattants d'Al-Qaïda – et

même une monnaie ! Une autre différence importante avec Al-Qaïda est que l'État islamique dispose de quantité d'argent pour faire la guerre, et
que cet argent ne le lie pas à des États de la région.
Il s'agit soit de donateurs privés koweïtis, qataris,
émiratis, saoudiens, voire d'autres pays, soit de
sommes récupérées sur place comme le montre
l'épisode de la banque centrale de Mossoul au
cours duquel les combattants de l'État islamique
s'emparent d'une somme considérable de dollars
et de lingots d'or. Ce seul butin de guerre de Mossoul, estimé à 313 millions d'euros, donne à l'État
islamique une puissance financière sans précédent, alors qu'il continue d'être considéré comme
une simple « organisation terroriste » par les pays
occidentaux et les États arabes.

On sait que l'État islamique dispose d'un
volume important d'équipement militaire américain récupéré sur l'armée irakienne – de l'artillerie
lourde à Mossoul, par exemple – et que de nombreux anciens officiers de l'armée de Saddam
Hussein se sont intégrés à ses troupes et ont
contribué à former les combattants à l'usage des
matériels et à diverses tactiques de combat. L'organisation sait utiliser des blindés et aurait la capacité de faire voler des avions, comme c'est le cas en

Syrie, en particulier, avec les avions russes récupérés sur la base de Deir ez-Zor. Bref, l'État islamique dispose d'un véritable embryon d'armée encadré par des gens qualifiés et constitué de soldats extrêmement motivés qui vont au combat en aspirant au martyre, contrairement aux troupes particulièrement démotivées de l'armée irakienne ou même aux peshmergas, souvent sous-équipés et mal formés.

Non seulement cette professionnalisation représente un atout militaire, mais elle s'inscrit dans un processus de construction d'une souveraineté étatique, que l'on constate aussi sur les terrains civil et administratif. On entend souvent dire que l'État islamique pratiquerait le racket à grande échelle dans les régions qu'il contrôle. Mais il faut rappeler que, dans les semaines qui suivent la prise de Falloujah, dès le mois de février 2014, l'État islamique met en place son propre système de taxation islamique, avec des impôts comme la *zakât*, l'aumône légale, ainsi que la *sadaqa* et la *jizya*[1], qui permettent de verser des salaires, alors que, sous le régime de Nouri al-Maliki, les salaires des

---

1. La *Sadaqa* est le don volontaire d'aumône aux nécessiteux, la *jizya*, l'impôt de « protection » que doivent payer les *dhimmis*.

fonctionnaires étaient souvent suspendus en signe de rétorsion. De ce point de vue, Falloujah devient une sorte de laboratoire d'un gouvernement local qui est étendu à d'autres villes à partir du mois de juin.

À Mossoul, lorsque arrivent les troupes de l'État islamique, la majorité de la population n'est ni salafiste ni djihadiste, mais simplement… passive. Ceux qui ont des raisons d'avoir peur, comme les minorités, partent et les autres attendent de voir. Et ce qu'ils voient, c'est incontestablement un mieux par rapport à la situation précédente, devenue invivable. D'où la consolidation du contrôle de l'État islamique, reposant sur la délégation du pouvoir à des acteurs locaux, contrairement à ce que fit Al-Qaïda. Une délégation qui n'est pas purement formelle : à Falloujah et à Mossoul, très rapidement après la conquête de la ville, les miliciens de l'État islamique se retirent du centre-ville pour s'installer à la périphérie et défendre les abords de l'agglomération.

Certes, tant l'État islamique que les acteurs locaux sont tout à fait conscients du caractère versatile de la politique tribale et des notabilités locales mais, au fur et à mesure de la consolidation et de l'extension territoriales de son hégémonie, la stratégie de l'État islamique consiste justement à passer rapidement d'une logique de « labellisation » de circonstance à celle d'une adhésion réelle à un « État de droit islamique », certes étranger aux pratiques occidentales et au droit international, mais qui se veut un État de droit tout de même. Pendant les premières semaines du règne de l'État islamique, des voix s'élèvent à Mossoul et dans la province d'Al-Anbar pour dire que, si le gouvernement de Nouri al-Maliki reconnaît aux populations arabes sunnites les mêmes droits que leur accorde l'État islamique, celles-ci pourraient apporter de nouveau leur soutien aux autorités de Bagdad. Curieusement, l'État islamique ne sévit pas contre ceux qui se prononcent en ce sens. Pourquoi ? En réalité, les djihadistes sont bien conscients que le gouvernement de Nouri al-Maliki est incapable de satisfaire ces revendications, trop prisonnier d'un système d'allégeances confessionnelles qui fait que ce qu'on accorde aux uns, on doit le retirer aux autres, y compris en matière de représentation politique. Peu à peu, un nombre croissant d'acteurs locaux, sceptiques ou hésitants, se laissent convaincre par l'État islamique que l'État irakien n'est pas réformable, qu'il est une construction américaine, colonialiste – au même titre que tous les États de la région.

Internationaliser la guerre

Cette évolution des esprits doit être mise en relation avec les étapes de la conquête militaire engagée par l'État islamique. On a vu que le succès fulgurant de la première étape, en juin 2014, est rendu possible par le marché établi avec les Kurdes, à quoi s'est ajoutée la trahison de généraux corrompus de l'armée. Mais, à partir de fin juin, cet accord s'est rompu, stoppant net la possibilité d'une expansion illimitée au sein du territoire irakien. Jusque-là, l'objectif proclamé de l'État islamique est la conquête de Bagdad, ancienne capitale du califat abbasside – une ville désormais à majorité chiite après qu'une grande partie de sa population sunnite en a été chassée entre 2006 et 2008. L'idée est de prendre la capitale en tenaille entre la province de Diyala, que l'État islamique pense pouvoir conquérir rapidement grâce au double jeu des Kurdes, et la province d'Al-Anbar, où subsistent de nombreux camps de réfugiés sunnites expulsés de Bagdad par les milices chiites.

À l'époque, les porte-parole de l'État islamique parlent même de conquérir non seulement Bagdad, mais les villes saintes de Najaf et Karbala, dans un défi symbolique adressé aux chiites. La réaction des autorités religieuses chiites est immédiate : le vendredi 13 juin, le grand ayatollah Ali Sistani appelle au djihad contre l'État islamique.

À la fin du mois de juin, on assiste à un coup d'arrêt de l'expansion de l'État islamique dans la province de Diyala face à la mobilisation massive des milices chiites, un retournement favorisé par la volte-face des Kurdes qui viennent, cette fois-ci, au secours du gouvernement central qui a laissé la voie libre à ces milices. Dès lors, l'État islamique se trouve contraint d'abandonner un certain nombre de villes et villages à population mixte sunnite et chiite – entre autres des villages peuplés par des Turkmènes [2] chiites. Pour l'État islamique, c'est la fin des illusions : celle d'un accord durable avec les Kurdes et celle d'une conquête de la capitale et, à terme, de l'Irak tout entier.

---

2. Peuple nomade originaire d'Asie centrale, ils ont été installés successivement par les différents pouvoirs musulmans à la lisière sud du Kurdistan pour contrôler la contrebande et séparer Kurdes et Arabes. 60 % sont sunnites, les autres chiites.

Les dirigeants de l'État islamique réalisent vite qu'ils devront se contenter d'un territoire communautaire et confessionnel arabe sunnite. Cette prise de conscience explique la logique de la seconde phase d'expansion militaire et du projet politique qui l'accompagne, avec la proclamation du califat le 29 juin 2014 et l'abolition symbolique de la « frontière Sykes-Picot » entre l'Irak et la Syrie. L'État islamique s'engage alors vers une « sortie par le haut » : confrontés à des blocages – de nature différente, mais présents dans les deux pays, Syrie et Irak –, les dirigeants de l'État islamique font leur deuil du Kurdistan et des régions chiites et, de fait, de l'Irak lui-même, renoncent à la conquête rapide de Bagdad et choisissent délibérément la régionalisation et l'internationalisation du conflit avec la construction d'un État transnational. Ils commencent à dénoncer les États régionaux « imposteurs » comme étant à la racine des problèmes de la communauté musulmane.

Plutôt que sur une expansion continue, l'État islamique concentre ses forces, à partir de la fin de juillet 2014, sur une homogénéisation territoriale des espaces qu'il contrôle. On l'a vu dans la province d'Al-Anbar, où il s'agit de résorber les poches encore occupées par les troupes gouvernementales, mais aussi avec l'occupation de zones frontalières, avec la Syrie, avec la Jordanie, avec l'Arabie saoudite, ce qui est d'ailleurs aussitôt perçu comme un danger mortel par ces deux derniers pays – nous le verrons en détail au chapitre 4. Enfin, l'occupation de zones pas nécessairement à majorité sunnite comme les villages chrétiens de la plaine de Mossoul ou comme le Jabal Sinjar, peuplé par les yézidis [3], à cheval sur la frontière entre l'Irak et la Syrie. Une occupation qui répond à une double logique : la nécessité géostratégique de consolider un territoire continu et l'éviction ou l'asservissement d'une communauté considérée, dans le cas des yézidis, comme polythéiste, voire adoratrice du diable. Dans les deux cas, il s'agit clairement de provoquer un Occident attentif au sort des minorités – quand ça lui convient, pourrait-on ajouter – pour l'impliquer dans le conflit.

Cette stratégie de régionalisation-internationalisation du conflit et de consolidation territoriale s'accompagne d'une « politique du pire » qui

---

3. Souvent appelés à tort « adorateurs du diable », c'est une secte syncrétique mélangeant le soufisme avec des éléments de manichéisme. Ils vivent pour l'essentiel dans le Jabal Sinjar à cheval sur la frontière irako-syrienne.

vise à provoquer l'Occident en revendiquant ouvertement tout ce qui est susceptible de provoquer l'effroi de l'opinion publique occidentale. Ce qu'il faut bien comprendre néanmoins, au-delà du sentiment d'horreur qu'elles suscitent, c'est que le caractère de plus en plus systématique de ces pratiques répond avant tout aux difficultés ou, plutôt, aux limites géostratégiques et militaires auxquelles se heurte l'État islamique en Irak et, d'une autre façon, en Syrie.

À travers l'internationalisation délibérée du conflit et la dénonciation générale de la légitimité des États de la région, l'État islamique peut (de façon paradoxale du point de vue occidental) se revendiquer alors comme le seul véritable héritier des printemps arabes qui ont contribué à affaiblir ces mêmes États. Il se proclame comme le seul protagoniste totalement autonome et dépendant uniquement de ses bases dans la société civile locale (les nombreuses tribus qui le soutiennent sont, elles aussi, issues de la société civile, alors que, par exemple, les autres groupes d'opposition en Syrie sont tous soutenus par des États régionaux, que ce soit le Qatar, la Turquie, l'Arabie saoudite, etc.).

D'une certaine façon, on peut dire que l'expansion et la stratégie transfrontalières de l'État islamique résultent aussi du caractère communautaire et confessionnel très étroit de son berceau irakien. La volonté de transcender cette limite et de dissimuler le caractère communautaire circonscrit et territorialisé de sa base originelle explique en partie un discours militant et universaliste qui s'adresse à une communauté mondiale. On l'a vu, par exemple, très clairement à l'occasion des exécutions amplement médiatisées diffusées par vidéo : face à la coalition internationale qui s'oppose à lui, l'État islamique présente sa propre coalition qui n'a plus rien d'arabe, avec des combattants européens, ouzbeks, tchétchènes, etc. Il fait preuve en cela d'une habileté machiavélique et d'un sens politique aigu, contrairement non seulement aux régimes autoritaires auxquels il s'oppose – qui ne connaissent guère que le logiciel de la répression aveugle –, mais, malheureusement aussi, aux démocraties occidentales.

Cette « sortie par le haut » est aussi une façon pour l'État islamique de surmonter ses limites et ses faiblesses en se plaçant sur le terrain du temps long, d'où ses références à l'Histoire, comme nous le verrons plus loin. Il faut rappeler que, dans le monde arabe, et malgré les proclamations de panarabisme des mouvements nationalistes, les frontières établies et dessinées par les puissances coloniales n'avaient jusqu'ici jamais vraiment été sérieusement remises en cause. D'où la puissance du coup de force symbolique, et pas seulement symbolique, que constitue l'effacement de la frontière entre Syrie et Irak. L'État islamique est le premier, en quelque sorte, à proclamer haut et fort que le roi est nu et à décréter la mort d'un État irakien (et syrien, par voie de conséquence) qui, de fait, n'est plus vraiment défendu que par une classe politique parlant au nom des chiites.

Mais, pour comprendre la portée de ce coup de force, il faut revenir sur l'histoire coloniale et postcoloniale de la région et sur le processus de construction d'États qui doivent aujourd'hui affronter ce qui est peut-être le plus grand défi qu'ils aient jamais connu depuis leur presque cent ans d'existence.

2.

De Sykes-Picot à Yaaroubiya, le retour de l'Histoire

Sur des images diffusées par des sites islamistes et sur Twitter, on voit les djihadistes traverser au bulldozer un mur de sable, créant ainsi une piste qu'empruntent à leur suite des camions et des voitures, tandis qu'un insurgé brandit le drapeau noir de l'État islamique. La première photo de la série de clichés est datée du 10 juin 2014 et porte le titre « Briser la frontière Sykes-Picot », en allusion aux accords signés en 1916 entre la Grande-Bretagne et la France prévoyant le partage du Moyen-Orient à la fin de la Première Guerre mondiale.

Cette mise en scène de l'effacement de la frontière entre Irak et Syrie à Yaaroubiya est un moment fondateur, une tentative délibérée de l'État islamique pour instrumentaliser symboliquement à son profit des éléments de l'histoire longue du Moyen-Orient qui remontent à l'effondrement de l'Empire ottoman et à la création d'États-nations arabes sous mandats européens.

Promesses trahies

Contrairement à ce qu'on entend souvent, les pourparlers secrets engagés en 1916 entre les deux négociateurs, le Britannique Sykes et le Français Picot, pour partager les zones d'influence respectives des deux puissances au Moyen-Orient, ne délimitaient nullement la frontière entre la Syrie et l'Irak à l'endroit où elle a été détruite symboliquement par l'État islamique. Ce qui n'empêche pas les djihadistes de faire explicitement référence ce jour-là, notamment sur les réseaux sociaux, à la fin de l'ordre géopolitique « injuste imposé par les accords Sykes-Picot ». Il s'agit là, en fait, d'une sorte d' « erreur créative » qui permet à l'État islamique d'inscrire son combat dans le temps long de la trajectoire des États de la région, et de leur échec.

À l'époque, les accords Sykes-Picot ne séparent pas la région de Mossoul de celle d'Alep, toutes deux étant destinées à intégrer la zone dite « A » d'influence française. Ce n'est que tardivement, en

1925, que le *vilayet*[1] de Mossoul, une région administrative ottomane caractérisée par une population très multiethnique et multiconfessionnelle où se côtoient Arabes, Kurdes, Turkmènes, Assyro-Chaldéens et Yézidis, est définitivement rattachée à l'Irak. La découverte du pétrole à Kirkouk décide les Britanniques à incorporer le *vilayet* à un État irakien soumis à leur mandat. Quant à la frontière syro-irakienne « effacée » par l'État islamique, elle n'est tracée qu'après le rattachement de Mossoul à l'Irak et n'a donc rien à voir avec Sykes et Picot.

Bien entendu, pour les dirigeants de l'État islamique, il ne s'agit pas d'établir le type de vérité historique qui permet de passer le CAPES d'histoire, mais d'exercer un coup médiatique mettant en scène la nature coloniale de presque toutes les frontières régionales. Ce coup s'inscrit aussi dans une tradition idéologique déjà ancienne des mouvements islamistes, qu'il s'agisse des Frères musulmans ou des salafistes, qui ont régulièrement accusé certains États arabes d'être non seulement des créations coloniales, mais aussi le siège de pouvoirs dominant de

---

1. *Vilayet* (turc) ou *wilaya* (arabe) : province, la plus grande division administrative ottomane et des États qui ont succédé à l'Empire ottoman.

LE MOYEN-ORIENT OTTOMAN AU DÉBUT DU XXᵉ SIÈCLE

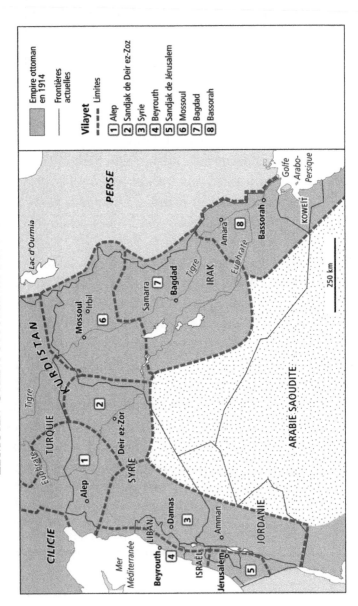

Empire ottoman en 1914

Frontières actuelles

Vilayet ▪▪▪ Limites

1 Alep
2 Sandjak de Deir ez-Zor
3 Syrie
4 Beyrouth
5 Sandjak de Jérusalem
6 Mossoul
7 Bagdad
8 Bassorah

250 km

façon autoritaire leur société en s'appuyant sur des communautés minoritaires « hostiles » à l'*oumma* sunnite – oubliant tout de même qu'en Irak, c'est la minorité arabe sunnite qui a dominé l'État pendant plus de quatre-vingts ans.

Il importe donc de revenir sur l'histoire de la formation des États de la région pour comprendre pourquoi la formule « Sykes-Picot » symbolise la trahison des promesses faites aux Arabes – et à d'autres – par les Alliés pendant la Première Guerre mondiale. À la veille du conflit, l'Empire ottoman unifie l'ensemble du Moyen-Orient dans le cadre d'entités administratives provinciales. Pour la région qui nous concerne, il s'agit par exemple des provinces de Bassora, Bagdad, Mossoul, Deir ez-Zor, Alep, Damas et Beyrouth. Chacune de ces provinces est alors dirigée par son propre gouverneur, mais elles sont toutes régies par les mêmes lois (à l'exception notable du Mont-Liban où les grandes puissances européennes ont imposé au XIXe siècle un statut spécial destiné notamment à protéger les chrétiens). Les États-nations qui se créent par la suite, et qui se comportent très vite comme des États-forteresses, brisent donc des continuités géographiques et humaines, telles que la vallée de l'Euphrate ou la Djezireh.

LE PARTAGE DU MOYEN-ORIENT SELON LES ACCORDS SYKES-PICOT (1916)

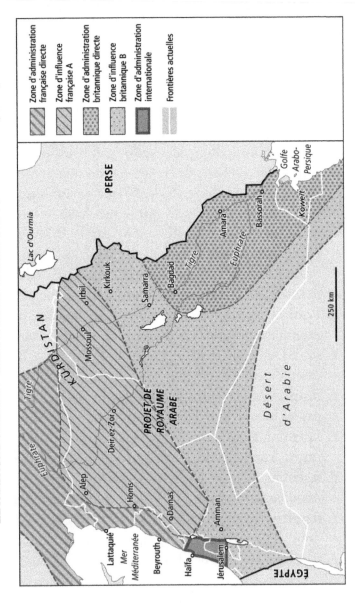

Légende :
- Zone d'administration française directe
- Zone d'influence française A
- Zone d'administration britannique directe
- Zone d'influence britannique B
- Zone d'administration internationale
- Frontières actuelles

PERSE

Lac d'Ourmia

KURDISTAN

Irbil
Mossoul
Kirkouk
Samarra
Bagdad
Amara
Bassorah
Koweït

Golfe Arabo-Persique

Tigre
Euphrate

PROJET DE ROYAUME ARABE

Alep
Homs
Deir ez-Zor
Damas
Amman

Lattaquié
Beyrouth
Haïfa
Jérusalem

Mer Méditerranée

Désert d'Arabie

ÉGYPTE

250 km

L'Empire ottoman était transnational et fondé sur l'allégeance religieuse des musulmans sunnites au sultan-calife d'Istanbul, qu'ils soient turcs, arabes ou kurdes. Les minorités religieuses reconnues (chrétiennes et juives, essentiellement) vivent alors sous le régime des *millets*[2] qui leur accorde une certaine autonomie dans la gestion de leurs affaires internes. Les chiites de l'Empire ottoman ne bénéficient d'aucune reconnaissance et sont assimilés à l'islam majoritaire sunnite.

C'est cette (toute relative) unité que les puissances européennes tentent de saper depuis le début du XIXᵉ siècle. Ces puissances s'appuient à la fois sur les minorités ethniques et religieuses en leur offrant leur « protection » et elles font tout pour favoriser l'émergence de nationalismes ethniques de type européen, dans la lignée des mouvements qui font alors florès, que ce soit en Europe centrale ou dans les Balkans. La France s'est imposée comme la « protectrice » des catholiques, la Russie des grecs-orthodoxes et dans une certaine mesure des Arméniens, tandis que la

---

2. *Millet* : mot turc désignant les communautés religieuses officiellement reconnues par l'Empire ottoman et qui jouissaient d'une autonomie dans la gestion de leurs affaires internes.

Grande-Bretagne se voit en « parrain » des Druzes [3] et des Assyro-Chaldéens. Leur tâche est facilitée par le fait que chacune de ces communautés a des griefs plus ou moins graves à l'égard du pouvoir ottoman, dont le massacre des chrétiens maronites du Mont-Liban en 1860 n'est pas le moindre. Au moment où éclate la Grande Guerre, des émissaires des puissances européennes entrent en contact avec des mouvements arabes, kurdes, arméniens, assyriens, etc. Ils les incitent à se révolter contre le pouvoir ottoman et à se joindre aux armées alliées, notamment les troupes britanniques qui ont débarqué dans le sud de l'Irak dès 1914, le tout accompagné de promesses tous azimuts souvent contradictoires, qui concernent d'ailleurs souvent les mêmes territoires.

Il faut s'arrêter ici sur le rôle majeur et spécifique de la Grande-Bretagne dans la région. En raison de la taille de l'Empire britannique, sa gestion des affaires musulmanes est tiraillée entre différentes tendances. Si le Bureau arabe du Caire est favorable à une action au nom du nationalisme

---

3. Druze : branche hétérodoxe du chiisme. Ils sont présents au Liban (7 % à 8 % de la population), en Syrie (Jabal Druze – 3 % de la population), en Jordanie et en Palestine/Israël.

arabe et de l'islam contre l'Empire ottoman, l'Indian Office, le Bureau indien, pour des raisons propres à la situation aux Indes, se méfie de toute agitation à caractère potentiellement panislamique à un moment où le sultan-calife d'Istanbul appelle au djihad généralisé contre les Alliés.

L'un des documents essentiels permettant de comprendre les promesses faites alors aux Arabes est la célèbre correspondance entre le Haut-commissaire britannique au Caire, sir Henry McMahon, et le chérif[4] Hussein de La Mecque, gardien officiel des Lieux saints régnant sur la plus grande partie du Hedjaz. La famille du chérif Hussein, les Hachémites, est contactée par les Britanniques dans la perspective d'établir un royaume arabe sur les ruines de l'Empire ottoman. Dans cette correspondance très fournie datant de 1915 et 1916, le chérif Hussein s'engage à inciter au soulèvement l'ensemble des provinces arabes en échange de la promesse par les Alliés d'établir d'un royaume arabe unifié sur toutes les régions arabes libérées de la tutelle ottomane.

---

4. Chérif ou sharîf (pluriel ashrâf) : désigne chez les sunnites tous les descendants du Prophète (par exemple Hussein, le chérif de La Mecque).

Rappelons que l'idée nationale est encore très nouvelle parmi les différents peuples de l'Empire ottoman. Elle est d'ailleurs davantage présente dans les provinces levantines, qui ont connu la *Nahda* au XIXᵉ siècle, la renaissance culturelle et littéraire arabe à laquelle participent alors de nombreux chrétiens en Syrie et au Liban, comme en Égypte. Ce mouvement au caractère nettement protonationaliste se manifeste rapidement par des revendications plus spécifiquement politiques d'autonomie. Au Levant, donc, cette renaissance est aussi le fait d'intellectuels originaires de communautés qui ont des relations beaucoup plus étroites avec l'Occident, en particulier les chrétiens, même si l'on trouve aussi de nombreux musulmans. Il s'agit pour eux, en important l'idée européenne de nation ethnique, d'échapper à un statut de minorité vis-à-vis du pouvoir ottoman et de l'islam en revendiquant une citoyenneté égale pour tous, fondée sur une commune arabité. On voit donc surgir, au début du XXᵉ siècle, en Syrie, au Liban et en Palestine, des associations de notables et d'intellectuels, surtout urbains, se réclamant explicitement d'un nationalisme arabe fondé sur la langue et l'ethnicité. Bien entendu, en sa qualité de chef religieux, le chérif de La Mecque ne peut pas

totalement adhérer à ce type de projet ethnonatio-
naliste et d'inspiration séculière. Il lui faut donc
coupler la revendication nationale naissante avec
une revendication religieuse faisant valoir que les
Turcs ont usurpé la fonction du califat, laquelle
doit, selon lui, naturellement revenir à un souverain arabe.

Quand on lit aujourd'hui la correspondance
Hussein-McMahon, on est frappé par les réponses
dilatoires du diplomate britannique et par le caractère flou et versatile de ses promesses. Tantôt
McMahon semble promettre l'ensemble du
Moyen-Orient à un futur royaume arabe, tantôt,
au contraire, il fait des exceptions en s'appuyant
sur le caractère non arabe ou non musulman de
telle ou telle région, comme, par exemple, la montagne alaouite ou la Cilicie, une région d'Anatolie
méridionale qui appartient aujourd'hui à la
Turquie – y compris le *sandjak*[5] largement arabo-
phone d'Alexandrette, détaché de la Syrie et cédé
par la France à Ankara en 1939. N'oublions pas
évidemment l'épineuse question palestinienne,
qui a rendu cette correspondance célèbre puisque

---

5. Division administrative ottomane dans le cadre d'un
vilayet.

la version arabe et la version anglaise de l'échange de lettres entre Hussein et McMahon divergent totalement sur ce point, la première incluant la Palestine dans le royaume arabe, la seconde tergiversant sur ce point.

Ce caractère dilatoire ou évasif ne s'explique pas seulement par l'éventuelle duplicité de McMahon ou des autorités anglaises (de fait, lorsque les accords Sykes-Picot ont été rendus publics par les bolcheviks, McMahon s'est estimé désavoué et a démissionné), mais aussi par les contradictions et tensions de la politique impériale britannique (les promesses de McMahon et les accords Sykes-Picot étaient inconciliables) et par la rivalité avec la France. Comme nous y avons déjà fait allusion, le Bureau indien voit alors d'un très mauvais œil McMahon flatter les ambitions non seulement panarabes, mais aussi islamiques du chérif de La Mecque et ne veut absolument pas entendre parler de califat. L'Irak, en particulier, est au cœur de ces dissensions puisque l'armée britannique qui l'a envahi en 1914 est à 90 % une armée indienne et dépendante du Bureau indien. Ce n'est qu'ultérieurement, en 1920, que le Bureau arabe du Caire pourra reprendre la main à Bagdad.

Les conséquences proprement militaires de ces engagements britanniques envers Hussein sont connues en Occident à travers la saga de Lawrence d'Arabie. En 1916, le chérif Hussein lance sa Révolte arabe contre les Ottomans avec l'aide des Britanniques et du colonel Lawrence. Partie du Hedjaz, l'armée chérifienne conduite par Fayçal, l'un des fils de Hussein, défait les troupes ottomanes à Aqaba (1917), s'empare de Jaffa et de Jérusalem peu après et remonte jusqu'à Damas qui tombe en septembre 1918. C'est l'ensemble du *Bilâd ach-Châm* (la Grande Syrie, qui incluait, outre la Syrie actuelle, le Liban, la Palestine et la Transjordanie) et du Hedjaz qui est alors libéré de la tutelle ottomane. À Damas, Fayçal se fait couronner « roi de Syrie », un titre qui, dans son esprit et celui de ses contemporains arabes, embrasse la presque totalité du Moyen-Orient, Liban, Jordanie, Palestine et une partie du *vilayet* de Mossoul, à l'exception des seules régions à majorité chiite d'Irak. Le 7 mars 1920, un Congrès national syrien vote l'indépendance de la Syrie et son unité intégrale avec la Palestine et la Transjordanie. L'émir Fayçal est officiellement proclamé « roi constitutionnel » du royaume arabe de Syrie sous le nom de Fayçal Ier.

Le sort de la région est rapidement scellé lors de la conférence de San Remo le 25 avril 1920 en l'absence de tout représentant arabe : le Conseil suprême allié décide d'offrir à la France le mandat sur la Syrie et le Liban ; à la Grande-Bretagne, le mandat sur l'Irak, la Palestine et la Transjordanie. Ces décisions, qui violent les principes proclamés en 1918 sur le droit des peuples à disposer d'eux-mêmes et les promesses faites aux Arabes, suscitent un intense sentiment de trahison à Damas. Fayçal perd son trône en Syrie après une défaite militaire face aux Français et le Levant est divisé en une « petite » Syrie, amputée du Liban, les deux étant placées sous mandats français ; la Palestine se retrouve sous mandat britannique, dans le souci de répondre aux revendications juives d'un Foyer national en Palestine, reconnues par la Déclaration de Balfour (1917). La Transjordanie et l'Irak sont également soumis au mandat britannique, deux fils du chérif Hussein montant sur le trône d'États-nations arabes croupions aux limites encore mal définies. Fayçal est transféré par les Britanniques à Bagdad, où il devient le faire-valoir d'un État irakien sous mandat britannique. Cet État irakien, proclamé en 1920 par le résident britannique à Bagdad, sir Percy Cox, est le fruit de la rencontre de deux projets : celui de la puissance mandataire britannique et celui d'élites issues de la minorité arabe sunnite d'Irak. Il se construira sous la domination de la communauté arabe sunnite minoritaire et, donc, dans un rapport d'antagonisme permanent avec sa propre société (majoritairement chiite) qui sera reproduit par tous les régimes irakiens successifs.

Chimères panarabistes

Le rêve chérifien du royaume arabe unifié s'était ainsi fracassé sur le cynisme des puissances alliées. Et le geste transgressif de l'État islamique, le 10 juin 2014, à Yaaroubiya, vise à rappeler cette trahison. Il veut signifier que, pour la première fois, une force politique régionale semble ainsi faire un pas concret dans le sens du dépassement des frontières mandataires, contrairement aux nationalistes panarabistes laïques ou laïcisants du passé, baassistes, nassériens, etc., dont la duplicité n'est plus à démontrer. Chez ces derniers, en effet, le discours unitaire arabe fonctionne depuis longtemps comme un artifice destiné à masquer le fait que leur cible est d'abord le contrôle politique des

États issus des mandats. Le panarabisme n'est là que pour leur faciliter l'accès au pouvoir.

Et, de fait, chaque fois que le rêve d'unité panarabe semble pouvoir commencer à se concrétiser, comme dans le cas de l'union entre l'Égypte et la Syrie dans le cadre de la République arabe unie (1958-1961), les nationalistes laïques « unitaires » syriens s'empressent de le faire capoter. Car ce qui les intéresse n'est évidemment pas d'être dilués dans un ensemble dominé par l'Égypte ou par un autre pays, mais bien d'utiliser la rhétorique panarabe et unitaire pour affirmer leur contrôle sur les appareils d'État en place. Dans le cas de l'Irak, les élites arabes sunnites nationalistes ont recours à un discours panarabe dans le seul but de traiter la majorité démographique chiite d'Irak comme s'il s'agissait d'une communauté minoritaire. Ce sont les jeux de légitimation imaginaire s'articulant autour de cette rhétorique unitaire artificielle qui expliquent pour une bonne part la fréquence et le caractère systématique des divorces entre nassériens et baassistes et entre les diverses factions baassistes durant plus de quarante années (des années 1960 jusqu'à la chute du régime de Saddam Hussein en 2003) dans toute la région.

Reste à savoir si, dans l'imaginaire collectif arabe, le syndrome « Sykes-Picot » reste suffisamment prégnant pour que le coup médiatique symbolique de l'État islamique ait une réelle portée. Pour en prendre la mesure, il faut analyser les paradoxes du discours panarabe. Dès que les États arabes sous mandats sont créés, ils entrent dans la ligne de mire de toutes les élites locales, qu'elles soient socio-économiques, confessionnelles et/ou militaires. Ces élites n'ont qu'une idée : contrôler les États auxquels l'arbitraire de l'ordre mandataire et postmandataire les a assignées. Dès lors, la question de la légitimité des États et de leurs frontières disparaît pratiquement des discours publics. À l'exception d'un courant politique comme celui représenté par le Parti populaire syrien d'Antoun Saadé (qui a eu ses moments de popularité au Liban et en Syrie, mais n'a jamais accédé au pouvoir), les références à un Moyen-Orient arabe unifié ne vont jamais très loin, et restent très rhétoriques. Certes, les accords Sykes-Picot ne cessent jamais d'être mentionnés dans les manuels d'histoire en Irak et en Syrie comme l'expression de la perfidie et de la traîtrise des puissances occidentales, avec la figure de Fayçal en victime de cette traîtrise. Mais cette évocation ne va pas au-delà d'une indignation patriotique et anticoloniale de bon aloi et ne remet pas en cause les frontières existantes et encore moins les États.

La trahison des promesses faites par les puissances occidentales à cette époque ne concerne pas seulement les populations arabes, mais aussi, par exemple, les Assyriens, qui habitent dans la région montagneuse du Hakkâri, laquelle se trouve incorporée dans la nouvelle Turquie de Mustafa Kemal. Pendant la Grande Guerre, les Britanniques exfiltrent vers la Perse – elle aussi un théâtre de combats – des dizaines de milliers de membres de cette communauté aux traditions guerrières affirmées pour y contrer l'armée ottomane. Lorsque Mustafa Kemal interdit le retour des Assyriens en territoire turc, les Britanniques leur proposent d'instaurer un foyer national dans la région de Mossoul. Une promesse restée lettre morte là aussi. Les Assyriens sont recrutés comme forces auxiliaires des Britanniques en Irak dans les fameuses *levies*, milices confessionnelles utilisées contre les Kurdes et les chiites. Dès le lendemain de l'indépendance formelle de l'Irak, en 1932, les *levies* assyriennes se soulèvent pour réclamer leur regroupement sur un territoire autonome, conformément aux promesses qui leur ont été faites. Les

Britanniques matent la révolte. C'est alors que les Assyriens sont massacrés à l'instigation d'un général kurde, Békir Sidqi, futur auteur d'un coup d'État qui, en 1936, l'amènera au pouvoir à Bagdad. Une partie importante des survivants accompagnera leur patriarche dans son exil.

Comme nous le verrons, les Kurdes eux-mêmes ont connu leur part de tragédies. Le traité mort-né de Sèvres (10 août 1920) prévoit une large autonomie locale pour les Kurdes de Turquie et même, si l'ensemble des Kurdes le souhaite (ce qui est le cas), la formation d'un État indépendant s'étendant sur la partie kurde du *vilayet* de Mossoul (articles 62 et 64), où un chef religieux, cheikh Mahmoud Barzinji, s'est proclamé roi du Kurdistan depuis Sulaymaniyya. Ces promesses restent lettre morte, comme celles qui ont été faites par les grandes puissances aux Assyriens, et il n'est plus question des Kurdes dans le traité de Lausanne qui consacre la victoire de Mustafa Kemal. La consolidation de la Turquie kémaliste et le rattachement, en 1925, du *vilayet* de Mossoul à un État irakien qui se définit constitutionnellement comme « arabe » et qui sera constamment en guerre contre sa population kurde mettent fin à ce rêve. De fait, la dénonciation de la trahison du traité de Sèvres joue à certains égards encore aujourd'hui chez les Kurdes le même rôle que l'évocation des accords Sykes-Picot et de la correspondance Hussein-McMahon chez les Arabes.

Il reste qu'au niveau des acteurs politiques, les accords Sykes-Picot et la trahison des Alliés demeurent des références lointaines. Si l'ordre étatique régional menace de s'effondrer aujourd'hui, c'est avant tout en raison de son épuisement et de ses contradictions internes, devenues insoutenables. Ce n'est pas le califat proclamé par Abou Bakr al-Bagdadi qui menace aujourd'hui l'État irakien. Ce ne sont pas les combattants de l'État islamique qui ont amorcé le processus d'autodestruction du régime de Bachar al-Assad qui entraîne toute la Syrie dans sa chute chaotique et interminable. En réalité, l'État islamique n'est fort que de la faiblesse de ses adversaires et il prospère sur les ruines d'institutions en cours d'effondrement. C'est ce long processus de délégitimation et de décomposition d'États dont la viabilité était largement viciée dès l'origine, qu'il s'agit maintenant d'étudier.

3.

En Irak, un État contre sa société

Comment définir la « question irakienne » telle qu'elle s'est imposée à toute une société de 1920 à 2003 ? Elle se caractérise, pour le dire vite, par un double rapport de domination : confessionnelle, des sunnites sur les chiites, mais aussi ethnique, des Arabes sur les Kurdes. L'édification de l'État irakien, entre 1920 et 1925, manifeste, on l'a dit, la convergence de deux projets politiques, celui de la puissance mandataire – la Grande-Bretagne – et celui d'une élite arabe sunnite qui, après avoir servi de relais local à l'Empire ottoman, monopolise l'ensemble du pouvoir, notamment militaire.

État-nation arabe sur le modèle européen ou État sunnite ?

Le premier État irakien n'est pas seulement sunnite dans sa composition : il l'est également dans sa conception. Son origine mandataire et confessionnelle trouve une légitimation idéologique à travers un discours sur l'arabisme et l'importation d'un modèle de nation ethnique sur le modèle européen. Au Levant (Syrie, Liban, Palestine, Jordanie), l'idée de nation « à l'européenne » acquiert, depuis le début du XXe siècle, un embryon de légitimité et ce pour deux raisons principales : à cause des contacts plus denses et plus anciens de ces régions avec l'Europe et parce que les grandes figures levantines de la *Nahda*, nous l'avons vu, sont souvent issues de minorités qui voient dans le nationalisme ethnique et la citoyenneté arabe un vecteur de légitimation et de promotion de leur statut au sein des sociétés locales.

Dans le cas de l'Irak, en revanche, cette notion est pratiquement inexistante et l'importation du modèle national européen constitue un véritable tremblement de terre. On s'y dit, certes, « Arabes » – et ce d'autant plus que la proclamation initiale de la fondation de l'État irakien concerne seulement les *vilayets* de Bagdad et de Bassora, soit des régions à 95 % arabes (les Kurdes et les autres minorités non arabes ne sont intégrés, rappelons-le, qu'avec le rattachement ultérieur de Mossoul) –, mais cette arabité est d'abord liée à un territoire bien délimité et à une appartenance tribale. Au-delà du territoire, on se réfère plutôt à une autorité religieuse. Dans le cas des chiites, il s'agit de grands ayatollahs qui, dans leur majorité, ne sont pas arabes, mais persans. On n'était donc pas dans un nationalisme de type ethnique et exclusif, mais dans une conception plus flexible et plus civilisationnelle de l'arabité en tant que *'urûba*, très différente du « nationalisme arabe » de l'époque baassiste et nassérienne.

L'État irakien s'impose donc au nom de conceptions totalement étrangères à celles de l'immense majorité de la population irakienne. L'idée de nation arabe permet à une minorité confessionnelle de s'accaparer le pouvoir, avec des élites qui, au nom de l'arabisme, ne cesseront de traiter la majorité chiite d'Irak comme une minorité. Au moment de la fondation de l'État, cette idée de nation arabe n'est guère présente que chez les officiers chérifiens, souvent issus de grandes familles sunnites d'Irak, qui ont servi sous la direction de Fayçal dans le cadre de la Révolte arabe au Levant. Il faut rappeler qu'à l'époque ottomane, deux grandes possibilités de carrière s'offrent aux enfants des notables sunnites : d'une part, la carrière religieuse, si on est par exemple *sayyid* ou *sharîf*, c'est-à-dire descendant du Prophète, ou attaché à une confrérie soufie, de l'autre, la carrière administrative ou militaire. En tant que relais locaux d'un pouvoir ottoman qui se conçoit comme le porte-drapeau du sunnisme face à la Perse chiite, le grand empire musulman rival, la caste des *efendis* (les membres de l'administration ottomane), presque tous sunnites, s'impose dans la sphère des affaires civiles. En ce qui concerne la carrière militaire, on part faire ses études dans les académies militaires d'Istanbul, qui sont alors pétries d'idées venues d'Europe parmi lesquelles la nation comme source de légitimation de l'État.

Les officiers d'origine irakienne issus des académies militaires ottomanes se sont joints à la Révolte arabe de 1916 et ont participé aux combats contre les Ottomans au Levant. Après l'armistice, ils sont revenus en Irak et c'est à eux que les Britanniques ont confié les rênes de l'armée irakienne. De façon symbolique, l'armée est fondée par Ja'far al-Askari, un des plus illustres représentants de cette élite chérifienne. Une autre grande figure de cette couche prétorienne est Nouri Saïd, un officier devenu politicien, honni par la population qui le voit comme l'« homme des Anglais ». Lors de l'insurrection qui met fin à la monarchie en 1958, il tente de s'enfuir du pays déguisé en femme, mais finit par être découvert et assassiné par les insurgés en même temps que la famille royale. Le nationalisme arabe est donc paradoxalement l'arme privilégiée de la puissance coloniale dans une région où les allégeances sont avant tout locales, tribales et claniques, et religieuses.

La fondation de l'État irakien en 1920 s'inscrit dans le cadre du mandat britannique, parallèle aux mandats français sur la Syrie et sur le Liban, et elle rencontre l'hostilité unanime de la communauté chiite, qui représente plus de 75 % de la population avant le rattachement à l'Irak du *vilayet* de Mossoul. Le caractère confessionnel de ce nouvel État se réclamant de l'arabisme est occulté puisque, nulle part dans les textes, il n'est question de chiites et de sunnites. Cependant, lors de l'adoption du code de la nationalité irakienne en 1924, il apparaît que celui-ci accorde automatiquement la nationalité irakienne à tous ceux qui ont eu la nationalité ottomane. Or cela ne concerne que les sunnites, puisque les chiites ne reconnaissaient pas la légitimité du sultan-calife et que, dans leur immense majorité, ils vivaient dans des zones tribales hors d'atteinte du pouvoir central. En outre, une partie d'entre eux ont la nationalité persane, soit en raison de leur origine ethnique, ce qui est souvent le cas dans les villes saintes chiites comme Karbala ou Najaf, soit parce qu'ils sont membres de tribus arabes qui ont opté pour la nationalité persane pour échapper à la conscription. Dans leur immense majorité, les chiites n'ont pas de papiers d'identité ; ils n'ont aucune nationalité et ignorent pour la plupart ce que peut signifier « avoir une nationalité ». Lorsqu'il leur faut obtenir des documents irakiens en 1924, ils sont mis en demeure de prouver leur « irakité ».

On aboutit donc à la création de deux types de certificats de la nationalité irakienne, A et B. Le premier se réfère à la nationalité irakienne de « rattachement ottoman », acquise automatiquement même pour ceux qui ne sont pas nés sur le territoire irakien. Le certificat B désigne le « rattachement persan », beaucoup plus problématique. Ce double système crée des situations passablement surréalistes. C'est ainsi qu'un ministre de l'Enseignement, Sati al-Housri, destitue en 1928 de son poste d'enseignant un grand poète chiite, Muhammad Mahdi al-Jawahiri, sous prétexte que ce dernier n'est « pas un vrai Irakien ». Or al-Jawahiri, n'a aucune racine familiale en dehors du territoire irakien où sa famille vit depuis des générations, tandis que Sati al-Housri, principal théoricien du nationalisme arabe, est né au Yémen et possède la nationalité… syrienne !

Cette vision discriminatoire survit à toutes les révolutions. C'est en son nom que Saddam Hussein s'attaque, à partir de la fin des années 1960, aux Irakiens de « rattachement iranien » et qu'il les force à l'exil, avant de les déporter en masse. Lorsqu'il s'empare de tous les leviers du pouvoir, en 1979, en mettant à la retraite forcée son protecteur Ahmad Hassan al-Bakr, ses premières mesures sont dirigées contre des Kurdes Faylis, qui cumulent le double handicap d'être kurdes et chiites. Par vagues successives, ils sont expulsés vers l'Iran durant les années 1980. Au lendemain de la guerre du Koweït en 1990, Saddam Hussein montre encore du doigt les Arabes chiites des marais, qui se sont soulevés contre le régime, les accusant de n'être ni d'« authentiques » irakiens ni de « vrais arabes ». Il les accuse d'avoir des mœurs les assimilant aux « Perses polythéistes » et d'être étrangers à la nation arabe. La

distinction entre nationalité A et nationalité B (dite
« de rattachement iranien »), exhumée pour l'occasion, est également employée contre des religieux
chiites irakiens. Elle restera constamment une épée
de Damoclès menaçant la communauté chiite
d'Irak, toujours susceptible d'être accusée d'être une
« cinquième colonne » iranienne en Irak.

Dans les années 1920, ce type de discrimination vise surtout les oulémas chiites, presque tous
d'origine persane, et qui sont aussi les principaux
opposants au mandat britannique et au nouvel État
irakien. Les Britanniques sont même les premiers à
avoir recours au discours arabiste dénonçant les
« étrangers à l'Irak » qui souillent la pureté de l'Irak
arabe et qu'il est nécessaire d'expulser. En 1923,
sous la pression de la Grande-Bretagne, le gouvernement irakien exile les plus grands ayatollahs en
arguant de leur origine étrangère. Les grands ayatollahs ont en effet interdit aux chiites de participer
à toute forme d'élections sous un régime d'occupation étrangère. Or le principal d'entre eux, cheikh
Mahdi al-Khalessi, est un Arabe d'origine tribale et
n'a aucune racine persane. Lorsqu'on vient l'arrêter
chez lui, les officiers chargés de l'appréhender sont
accompagnés d'un interprète. Le cheikh a beau protester qu'il ne parle pas persan, on le met dans un

train pour la frontière iranienne, où le consul britannique venu l'accueillir – il s'agit tout de même d'une personnalité de marque – écrit dans son rapport officiel avoir été très étonné que l'ayatollah « ne parle pas un mot de la langue du pays dont il est originaire et qu'il semble totalement étranger à la Perse » ! Certains de ces grands ayatollahs sont autorisés à revenir en Irak en 1924 à la condition expresse qu'ils ne fassent plus jamais de politique. Le paradoxe, c'est que ceux qui acceptent ces conditions sont les ayatollahs iraniens, qui reviennent s'installer à Najaf, tandis que le seul Arabe, cheikh al-Khalessi, restera en exil à Mashhad, en Iran, jusqu'à la fin de ses jours.

Outre cette discrimination récurrente envers les chiites, l'armée, qui est à la fois la colonne vertébrale du nouvel État et un quasi-monopole sunnite, mène une guerre permanente contre les communautés dissidentes. C'est le cas des Assyriens, qui le paient au prix fort en 1932 et en 1933 et, *a fortiori*, des Kurdes qui ne connaissent que quelques rares années de paix [1]. Quant aux chiites,

---

1. Entre 1959 et 1962, sous le premier régime républicain du général Kassem, et entre 1972 et 1976, au début du pouvoir personnel de Saddam Hussein.

ils manifestent d'emblée massivement leur refus de l'occupation britannique, du mandat et du nouvel État sous mandat avec son corollaire, la domination des élites arabes sunnites. Suivant leurs grands ayatollahs, ils avaient répondu à l'appel au djihad contre l'invasion britannique (1914-1918), où ils avaient combattu aux côtés de l'armée ottomane, puis revendiqué un « État irakien arabe et islamique sans lien de dépendance avec une puissance étrangère ». Après leurs deux grandes défaites militaires, le djihad contre l'armée britannique et la révolution de 1920 contre le mandat, puis l'exil forcé des grands ayatollahs en 1923, leurs dirigeants religieux entament une longue traversée du désert jusque dans les années 1950. C'est alors qu'émerge un nouveau clergé chiite qui favorise une renaissance du mouvement religieux. L'arrivée de l'ayatollah Khomeiny, exilé en Irak à partir de 1965, ne fait alors qu'encourager les jeunes membres d'un clergé qui entend disputer au Parti communiste sa place prépondérante au sein de la communauté chiite et reprendre le rôle dirigeant qui était le sien jusqu'en 1925. À la fin des années 1970, ce renouveau chiite s'inscrit dans une convergence de toutes les oppositions au régime baassiste, avec le retour de la guerre au Kurdistan et celui des communistes à la clandestinité.

Si l'État irakien s'est très largement construit contre sa société, pendant trois décennies, de 1930 à 1960, le mythe national parvient cependant à définir l'horizon commun des différentes familles politiques. L'idée, par exemple, selon laquelle la réforme sociale pourrait régler la question confessionnelle rencontre une adhésion massive. D'où l'accueil favorable de nombreux chiites aux idéaux communistes. De même, les chiites jouent un rôle majeur dans la création du parti Baas en Irak en 1952. Mais, très vite, ils sont rattrapés par la « question irakienne ». Les élites arabes sunnites de la monarchie sont remplacées, après la révolution de 1958, par de nouvelles élites, elles aussi arabes sunnites, mais davantage marquées par leur appartenance à l'armée et originaires de provinces. Mossoul, Anah, Falloujah, Ramadi et, enfin, Tikrit deviennent le berceau des nouveaux maîtres du pays. Le premier coup d'État baassiste, en 1963, signe un retour sanglant à la « question irakienne » avec le divorce brutal entre Baas et chiites. Les chiites baassistes réalisent alors que les militaires (sunnites), au sein du parti, sont autant motivés par leur haine des communistes que par celle des chiites. L'adhésion chiite au communisme et au baassisme exprime selon toute évidence des aspirations « irakistes », c'est-à-dire visant à préserver l'identité de l'Irak majoritairement chiite dans un monde arabe majoritairement sunnite. Les chiites ont cru un moment voir dans le baassisme une version levantine du nationalisme arabe où ils pourraient trouver leur place face à un nassérisme très marqué par son sunnisme. Le divorce n'est que plus douloureux. Le processus de réduction de la base sociale du pouvoir s'accélère alors, aboutissant à son accaparement par le clan sunnite takriti de Saddam Hussein. À partir de la fin des années 1980, même la communauté arabe sunnite finit par pâtir à son tour de la spirale répressive du régime, confronté à des oppositions de tous côtés.

Les campagnes d'épuration successives, comme celles que Saddam Hussein mène contre les clans militaires baassistes non originaires de Tikrit, rétrécissent peu à peu la base sociale et politique du régime qui aurait dû logiquement s'effondrer à la fin des années 1970 s'il n'avait pas été sauvé par deux facteurs essentiels : le boom pétrolier des années 1970 et l'alliance stratégique avec l'Occident, en particulier les États-Unis et la

France. La nationalisation de l'industrie du pétrole, en 1972, fournit en effet à Saddam les moyens de sauver son régime et de construire une force militaire au-delà de toute proportion, qui lui permet, à partir de 1979, d'apparaître aux yeux des puissances occidentales comme le seul rempart possible face à la révolution islamique en Iran. Une révolution perçue par le régime baassiste comme une menace mortelle puisque nombreux sont les oulémas chiites d'Irak qui considèrent alors que les événements iraniens annoncent une revanche historique sur un pouvoir sunnite allié à l'Occident.

Mais, avant d'en arriver à l'apocalyptique enchaînement de conflits sanglants (première guerre du Golfe opposant l'Iran et l'Irak entre 1980 et 1988, seconde guerre du Golfe de 1990-1991, après l'occupation irakienne du Koweït, *intifâda* généralisée des chiites et des Kurdes contre le régime de Saddam en février-mars 1991, invasion et occupation américaines de l'Irak à partir de 2003, première guerre confessionnelle entre chiites et sunnites de 2003 à 2008, seconde guerre confessionnelle en cours) qui accompagne une véritable descente aux enfers pour le pays à partir de la fin des années 1970, il convient d'examiner de plus près les caractéristiques fondamentales de cette société irakienne soumise aux assauts et à la prédation permanents d'un État créé dans des conditions particulièrement conflictuelles.

Aux origines du clivage sunnites-chiites

Il y a d'abord et, bien entendu, la dimension tribale, souvent mal comprise ou indûment décrite en termes d'archaïsme résiduel, et la dimension sociale à l'origine de l'antagonisme actuel entre sunnites et chiites.

Les chiites d'Irak sont très majoritairement arabes. Il existe quelques minorités turkmènes et kurdes parmi eux, mais, pour l'essentiel, les chiites et les Arabes sunnites appartiennent fondamentalement au même monde culturel arabe, imprégné de valeurs bédouines. Certes, un chiite ne s'appellera jamais du prénom des premiers califes usurpateurs comme Abou Bakr, Omar ou Uthman. La façon de prier et de faire ses ablutions n'est pas non plus la même selon qu'on est chiite ou sunnite. Mais ni les patronymes ni l'accent ne permettent de distinguer un chiite d'un sunnite. C'est d'ailleurs la raison pour laquelle, à Bagdad, par exemple, on vous demande souvent quel quartier vous habitez : c'est la seule façon d'identifier votre appartenance religieuse.

Chiites et sunnites arabes sont, dans leur grande majorité en Irak, les descendants de tribus originaires de la péninsule Arabique qui, au fil des siècles, sont venues se sédentariser dans les plaines plus ou moins fertiles du Tigre et de l'Euphrate. La Mésopotamie est ainsi le dernier grand réceptacle des invasions bédouines dans le monde, la dernière migration ne datant que du début du XXᵉ siècle, lors de l'exode des Chammar, chassés du Nedjd par leurs rivaux saoudiens. La conversion au chiisme de tribus initialement sunnites est un processus continu depuis des siècles. Pour quelle raison ? Une grande partie du centre et du sud mésopotamiens était déjà sous forte influence chiite en raison de la proximité des villes saintes. Afin de mieux s'intégrer au tissu social local, les nouveaux arrivants adoptent le rite dominant, par un effet d'osmose. Certaines tribus, comme les Joubouri, ont ainsi une branche chiite et une branche sunnite en fonction du territoire où elles se sont sédentarisées. Même chose pour les Chammar. Mais cela n'explique pas tout du mouvement de conversion au chiisme. Du fait de son message, de ses pratiques et de ses rituels, le chiisme est particulièrement apte à séduire les populations opprimées ou en situation d'infériorité, dans la mesure où il met en avant le devoir qui incombe à chaque croyant de se révolter contre l'injustice, contre la tyrannie et contre les pouvoirs illégitimes.

Les grandes tribus chamelières, demeurées attachées au sunnisme, ont imposé leur domination aux tribus sédentarisées ou semi-sédentarisées de cultivateurs, éleveurs, pêcheurs. C'est dans cette nouvelle hiérarchie propre au monde bédouin qu'on trouve l'origine du mouvement de conversion au chiisme. La masse des paysans sans terre découvre dans le chiisme un cadre adéquat pour exprimer sa souffrance et son humiliation. La conversion au chiisme est impulsée par les centres de pouvoir religieux des villes saintes, une forme de réaction prosélyte du clergé chiite qui se renforce encore face aux tendances centralisatrices et aux prétentions panislamiques de l'Empire ottoman au cours du XIXᵉ siècle. C'est ainsi que la majorité des chiites d'Irak sont d'anciens sunnites, parfois de conversion relativement récente (jusqu'aux années 1920). Les grands ayatollahs de Karbala et Najaf ont donc réussi, en quelques décennies, à susciter la formation d'un pays chiite pratiquement homogène depuis le sud de Bagdad jusqu'à Bassora, où ne subsistent plus que quelques petites enclaves sunnites.

À partir du XIXe siècle, la privatisation de la terre, initiée par les Ottomans et poursuivie par les Britanniques, a créé surtout pour les chiites une situation de quasi-servage. Une situation qui va même jusqu'à interdire à un paysan de quitter le domaine d'un propriétaire terrien à moins qu'il ne soit en mesure de fournir une attestation selon laquelle il est libre de toute dette envers lui (une loi en ce sens est même débattue au parlement irakien dans les années 1930). Tout au long du XXe siècle, les paysans chiites sans terre fuient massivement les campagnes pour échapper à la misère et à la tyrannie des cheikhs. Durant les décennies de 1930 à 1950 en particulier, l'Irak connaît alors un exode rural sans équivalent dans le monde arabe, au point que, quelque vingt années plus tard, Saddam Hussein est obligé de faire venir des travailleurs égyptiens parce qu'il n'y a plus assez d'Irakiens pour travailler la terre.

Ces populations d'origine rurale s'installent dans les bidonvilles des grandes agglomérations urbaines, notamment le fameux quartier de Sadr City à Bagdad, où ils forment la base privilégiée du Parti communiste irakien. Les tribus sunnites connaissent aussi un mouvement similaire d'exode rural, avec cette différence que ces nouveaux citadins bénéficient rapidement de réseaux d'accès au pouvoir, qui leur permettent de s'intégrer au sein de l'armée ou de l'administration, échappant pour une bonne part à l'asservissement politique et au déclassement social qui furent le lot de millions de chiites.

Au bas de la pyramide sociale irakienne se trouve donc une population massivement chiite. Que ce soit sous les Ottomans, à l'époque hachémite ou à l'époque républicaine, les sunnites disposent du monopole du pouvoir, donc des voies de promotion sociale, en particulier l'armée. Mais, si les carrières militaire et politique sont totalement fermées aux chiites, ces derniers occupent en revanche un éventail de positions sociales beaucoup plus ample : une classe paysanne nombreuse, mais désertant les campagnes, une classe ouvrière très importante – d'où l'osmose entre chiisme et communisme à partir des années 1930 – et une bourgeoisie commerçante ayant beaucoup de traits communs avec les entrepreneurs juifs, puisque la carrière des affaires est dans les deux cas une forme d'ascension sociale permettant de remédier à l'exclusion des sphères militaire et politique.

En outre, les hommes d'affaires chiites bénéficient de réseaux internationaux grâce aux filières du clergé chiite, version irakienne du bazar iranien. En résumé, les plus pauvres en Irak sont massivement chiites, mais les plus riches le sont également.

La dimension tribale de la société irakienne est complètement transformée par l'exode rural massif que nous venons de décrire. Même s'il existe évidemment des liens d'ordre généalogique, les tribus d'aujourd'hui n'ont plus grand-chose à voir avec ce qu'elles étaient, par exemple, lors du djihad antibritannique de 1914-1918. De nos jours, les tribus sont dans les villes, où elles ont « occupé » l'espace urbain au sens pratiquement littéral du terme puisque ces nouveaux venus et leurs descendants constituent aujourd'hui plus des trois quarts de la population de Bagdad, par exemple. Dans les campagnes, les allégeances tribales se définissaient autrefois tout à la fois par rapport aux liens de sang et par un territoire avec un fonctionnement économique relativement autarcique. En milieu urbain, l'unité économique de la tribu n'a plus guère de sens et l'identification des lignages devient très problématique. L'occupation des quartiers urbains s'est donc faite à la fois en fonction des lieux et des villages d'origine et des liens de parenté (qui peuvent être aussi bien imaginaires que réels). Dans un grand quartier construit à angle droit comme Sadr City, chaque bloc est habité par des gens qui sont ou se prétendent liés par des liens du sang. Beaucoup d'entre eux se sont reconstruit une nouvelle généalogie pour pouvoir gagner leur vie, puisqu'il est impossible de survivre en ville en tant que simple individu ; on n'y survit que grâce au groupe, grâce au quartier – grâce à la milice locale aujourd'hui.

Ces solidarités fondées sur la parenté et les liens du sang – que Michel Seurat a très bien analysées pour un quartier de Tripoli au Liban en utilisant la catégorie de *'asabiyya*[2] empruntée à Ibn Khaldoun – servent de base à des formes de réciprocité et de redistribution économiques essentiellement liées à des réseaux clientélistes. On pouvait croire à une époque que les villes seraient le tombeau des tribus. C'est le contraire qui s'est passé : Bagdad est une métropole moderne *et* tribale. La structure tribale fonctionne comme une forme d'autodéfense face à l'hostilité du pouvoir établi. Comme ailleurs dans le monde arabe, l'État est

---

2. Il allait même jusqu'à dire que « l'État au Moyen-Orient est une *'asabiyya* qui a réussi » !

considéré comme une *'asabiyya* parmi d'autres, une entité corporative clanique contre laquelle il faut se protéger.

Le retour sanglant de la « question irakienne »

C'est cette société, fragmentée et compartimentée, en guerre de plus en plus ouverte avec le pouvoir qui, après avoir bénéficié de façon très inégale du boom pétrolier des années 1970, est happée par la spirale infernale des enjeux stratégiques et géopolitiques régionaux, lesquels assurent tout à la fois la survie artificielle du régime de Saddam Hussein, son effondrement final et la fin du premier État irakien.

La révolution islamique en Iran en 1979 est rapidement considérée comme un danger mortel par le régime de Bagdad. Dans les villes saintes, le jeune clergé chiite militant, galvanisé par les événements en cours à Téhéran, croit l'heure de la revanche venue. Très vite, le mouvement religieux renaissant avait repris la place qui était la sienne avant que le Parti communiste ne devienne hégémonique. Selon un parcours classique à l'échelle de la région, nombreux furent les ex-militants de la gauche laïque qui revinrent vers le mouvement religieux.

À cet égard, la guerre de huit ans déclenchée en 1980 par le régime de Saddam contre la jeune république islamique doit être lue comme le prolongement, au-delà des frontières, d'une guerre civile irakienne larvée. Dès lors, une convergence d'intérêts sans précédent scelle une véritable alliance stratégique entre le régime de Saddam et les grandes puissances, États-Unis en tête. Le véritable *bonanza* représenté par le boom pétrolier permet, on l'a dit, à Saddam Hussein de s'armer au-delà de toute mesure et de toute logique, mais le coût du conflit avec l'Iran provoque un endettement massif de l'État qui n'était rendu possible que par l'engagement stratégique des États-Unis auprès du régime de Saddam Hussein. L'édification de l'incroyable arsenal militaire irakien a coûté à l'Irak des centaines de milliards de dollars en équipements *high-tech* importés de Grande-Bretagne, de France, d'Allemagne, d'Italie et des États-Unis. Si la guerre lancée par Bagdad contre l'Iran est largement financée par les pétromonarchies du Golfe, il faut rappeler que les États-Unis se portent alors garants de la solvabilité du régime, par le biais de prêts constamment renouvelés.

Une fois la guerre Iran-Irak terminée, en 1988, les Américains changent de braquet, estimant que la puissance militaire du régime baassiste devient une menace pour leurs alliés régionaux. Washington pousse donc les pétromonarchies du Golfe à réclamer le remboursement des dettes contractées auprès d'elles par Bagdad, tout en sachant très bien que la destruction des infrastructures pétrolières et la débâcle de l'économie irakienne rendent ces exigences parfaitement irréalistes. L'occupation du Koweït, en 1990, est une conséquence et une réaction de fuite en avant du régime de Saddam face à la situation de banqueroute de l'État.

Il faut souligner ici la duplicité des États-Unis. Le lobby pro-irakien à Washington ne cesse d'assurer à Saddam que, malgré la fin de la guerre Iran-Irak, l'alliance entre Washington et Bagdad n'est pas conjoncturelle et que le différend entre l'Irak et le Koweït n'est que l'expression de divergences secondaires entre membres d'une même famille arabe. Simultanément, la Maison-Blanche pousse les dirigeants koweïtis à réclamer leur dû, ce à quoi Saddam répond en affirmant – en partie à juste titre – que l'Irak a déjà payé le prix du sang pendant la guerre avec l'Iran, sacrifiant des centaines de milliers de ses soldats, aussi pour défendre les privilèges des émirs et monarques du Golfe.

Dans cette même logique, Washington encourage les Koweïtis à inonder le marché de leur pétrole, provoquant une chute des cours et la faillite accélérée de l'État irakien. Les Américains proposent alors à Bagdad une véritable mise sous tutelle de l'économie et du pétrole irakiens par des organismes internationaux. Ce que Saddam Hussein ne peut évidemment pas accepter. On connaît la suite. À la veille de l'invasion irakienne du Koweït, April Glaspie, l'ambassadrice des États-Unis en Irak, rassure encore le dictateur de Bagdad en minimisant la gravité des dissensions entre l'Irak et le Koweït. Le piège tendu par les Américains se referme alors sur Saddam.

Mais, en lieu et place de la chute du régime, le conflit avec les États-Unis et leur gestion équivoque des enjeux régionaux assurent la prolongation au-delà de toute logique d'un pouvoir de Saddam Hussein devenu ultra-minoritaire, même au sein du clan des Takritis, décimé par des purges et des disparitions suspectes au sein même de la famille du dictateur. Malgré l'insurrection généralisée de février-mars 1991 chez les Kurdes et chez les chiites, avec la défection de quinze des dix-huit provinces du pays, le régime de Saddam Hussein réussit à se maintenir contre toute attente grâce à un accord tacite entre Saddam et l'état-major américain, toujours obsédé par le danger iranien. Contrevenant aux termes officiels du cessez-le-feu, les Américains permettent à Saddam d'utiliser l'artillerie lourde et des armes de destruction massive contre les insurgés. C'est ainsi que, dans la région de Nassiriyah, les troupes américaines – et françaises – peuvent observer à quelques kilomètres de distance les nuages produits par les attaques toxiques contre les chiites. Et le régime peut couronner sa vengeance en bombardant la ville sainte chiite de Karbala à l'arme chimique sans susciter la moindre condamnation de la part des pays occidentaux…

Pendant la décennie 1990, on assiste à la mise sous tutelle de l'État irakien dans le cadre de l'embargo, avec des empiétements croissants sur sa souveraineté comme les interdictions de survol au-delà de tel ou tel parallèle au nord et au sud et le contrôle onusien sur ses ressources pétrolières. Sans parler de la zone kurde qui, grâce à *Provide Comfort* et aux résolutions de l'ONU, commence à vivre une autonomie croissante sous la houlette des deux grands partis kurdes (l'Union patriotique du Kurdistan de Talabani, et le Parti démocratique du Kurdistan de Barzani).

Tout en se caractérisant par un grand degré de duplicité, la gestion américaine du dossier irakien dans les années 1990 obéit à une logique stratégique relativement rationnelle. L'Irak est mis sous tutelle à travers l'instrumentalisation des résolutions de l'ONU et Washington obtient une mainmise de fait sur le pétrole irakien qui lui permet surtout de manipuler les cours en vue d'exercer une pression sur des concurrents commerciaux beaucoup plus dépendants du pétrole irakien, comme la Chine, le Japon, certains pays européens ou la Russie – l'Irak n'étant en réalité qu'un fournisseur assez secondaire pour les États-Unis. L'invasion de 2003, en revanche, est une réaction beaucoup plus irrationnelle du point de vue même des intérêts de la puissance américaine.

Il faut dire que le 11 Septembre a modifié la donne. Dans la volonté forcenée de trouver un nouveau bouc émissaire aux attentats d'Al-Qaïda sur le sol américain, Washington a désigné l'allié d'avant-hier et l'obligé d'hier. Le tropisme idéologique des néoconservateurs s'accompagne alors d'un amateurisme stupéfiant dans la gestion de l'occupation et d'une incompréhension totale de l'histoire et de la dynamique des rapports entre l'État irakien et sa société. Le régime de Saddam Hussein était le dernier avatar du système politique fondé par les Britanniques en 1920. Sa chute signe aussi l'effondrement de l'État irakien en place. Un événement majeur que Washington n'a visiblement pas anticipé. Les Américains recherchent d'abord désespérément une alternative sunnite au pouvoir déchu avant de céder aux pressions des Kurdes et des chiites et de donner le pouvoir à la « majorité », faisant semblant de croire que les majorités démographiques peuvent faire la majorité démocratique. Les exclus de l'ancien système, chiites et Kurdes, sont promus principaux bénéficiaires du nouveau système. Le communautarisme est masqué par un fédéralisme dévoyé (officialisé par la Constitution de 2005) qui sert à cacher que les bases du nouveau pouvoir sont tout sauf citoyennes. Chacun est en effet sollicité sur la base de son appartenance communautaire… Les partis politiques cèdent la place à des partis religieux et ethniques.

Le vice d'un tel système est qu'il y a toujours un exclu : les Arabes sunnites, traumatisés par la perte d'un monopole sur l'État qu'ils détenaient depuis les premiers siècles de l'islam, boycottent d'abord les institutions et chaque élection, avant de tenter leur chance, après l'écrasement de leur mouvement de résistance à l'occupation (2003-2004). Le boycott initial des élections par les Arabes sunnites laisse la place à une participation de plus en plus importante aux scrutins qui se succèdent en 2010 et 2013. La répartition tripartite – chiites, kurdes, sunnites – du pouvoir (à la libanaise) atteint ainsi des niveaux sans précédent d'absurdité et de dysfonctionnement, démultipliant les centres de pouvoir au sein de l'appareil d'État. Le président de la République doit être kurde, le chef du gouvernement chiite et le président du parlement un Arabe sunnite ! La nouvelle armée irakienne est aussi chiite que la première avait été sunnite. Le nouvel État, à peine né, devient la couverture institutionnelle de mécanismes de captation des ressources et de la rente pétrolière au profit de tel ou tel territoire ou fraction communautaire. Ce qui explique d'ailleurs les écarts de développement parfois stupéfiants qu'on peut constater en Irak, avec des régions disposant par exemple d'hôpitaux, d'aéroports ou d'autoroutes flambant neufs, et d'autres complètement délaissées, comme la capitale elle-même.

Le premier État irakien, fondé par les Britanniques, avait pu durer quatre-vingts ans malgré les guerres et les soulèvements. Les Américains apprennent à leurs dépens ce paradoxe : il est plus facile de gouverner par l'intermédiaire d'une minorité (sunnite) qu'en se reposant sur des majorités (kurdes et chiites, en l'occurrence). Dix ans après sa refondation par les Américains, le nouvel État irakien est à l'agonie. La tentative de reconstruction de l'État avec les exclus de l'ancien système aboutit, entre 2005 et 2008, à la dernière grande saignée en date, une guerre civile confessionnelle entre sunnites et chiites, qui provoque des centaines de milliers de morts. Avec la tentative de pouvoir autoritaire et répressif de Nouri al-Maliki, le schéma irakien de l'État en guerre contre sa société se reproduit, cette fois au service d'une coalition de factions communautaires chiites marquées par une corruption et un clientélisme sans limite. Les espoirs que les Arabes sunnites conservaient encore malgré tout dans l'État irakien s'évanouissent avec la répression féroce de leurs manifestations en 2013 et 2014. On comprend dès lors le succès de l'État islamique et sa création d'un « pays sunnite » auprès de cette communauté.

4.

L'État syrien rattrapé
par le confessionnalisme

Si le berceau de l'État islamique est irakien, c'est en Syrie que l'État islamique en Irak et au Levant (selon son appellation jusqu'en juin 2014) a d'abord conquis ses premiers territoires, le plus souvent aux dépens des autres groupes insurgés. Raqqa et Deir ez-Zor, dans la vallée de l'Euphrate, sont ainsi passées sous le contrôle de l'organisation en décembre 2013, un mois avant la chute de Falloujah en Irak.

À la différence de l'Irak où l'État a toujours eu une coloration confessionnelle, la Syrie a, quant à elle, été rattrapée par le confessionnalisme. L'État syrien est né de l'amputation d'une grande partie du *Bilâd ach-Châm* et il n'a jamais réussi à faire émerger une citoyenneté partagée. La population syrienne s'en est donc remise aux solidarités primaires, les *'asabiyyas* et la communauté. L'histoire de la genèse de l'État en Syrie explique pourquoi il est devenu l'enjeu privilégié de *'asabiyyas* qui ont abouti au triomphe du confessionnalisme.

Une mosaïque confessionnelle dans des frontières étriquées

À l'époque ottomane, comme l'Irak, la Syrie est organisée sur le modèle des *vilayets*, ces circonscriptions administratives entre lesquelles on circule librement, de la Palestine à Alep et d'Alep à Mossoul. La Syrie est désignée à l'époque comme *Bilâd ach-Châm* – appellation aujourd'hui reprise par l'État islamique –, qui comprend la Syrie actuelle, le Liban, la Transjordanie et la Palestine. Les *vilayets* sont centrés sur des villes-capitales : le *vilayet* de Deir ez-Zor, qui inclut une partie de l'actuelle province d'Al-Anbar en Irak, celui de Damas (qui englobe la Transjordanie), celui d'Alep (qui empiète sur une partie importante du territoire turc actuel). Beyrouth est à la tête d'une entité administrative englobant tout le littoral méditerranéen, depuis Lattaquié jusqu'à Haïfa et la Galilée en passant par le Liban actuel. À quoi il faut ajouter la montagne libanaise qui, en raison de sa population maronite et druze, a un statut différent depuis les accords passés entre la Sublime Porte et les puissances occidentales au XIXe siècle. De même, Jérusalem est la capitale d'une province, avec des lois particulières, couvrant seulement la partie méridionale de l'actuelle Palestine.

Sous l'Empire ottoman, on l'a dit, les minorités ne jouissent pas toutes du même degré de reconnaissance officielle. Le statut de *millet* concerne alors les non-musulmans reconnus comme Gens du Livre, chrétiens (environ 10 % de la population syrienne actuelle) et juifs, mais pas les chiites, ni les alaouites [1], ni les ismaéliens [2], ni les druzes – à l'exception, pour ces derniers, de la

---

1. Branche hétérodoxe du chiisme dont le nom signifie « Partisans de Ali » ; dans le passé, on les appelait fréquemment « nusayri ». Ils sont principalement représentés en Syrie (entre 10 % et 12 % de la population), dans le Jabal Nusayri et le littoral méditerranéen, au nord du Liban et dans la province turque du Hatay.

2. Branche du chiisme qui ne reconnaît que sept Imams au lieu des douze des duodécimains. Ils sont surtout représentés dans le sous-continent indien (les partisans de l'Agha Khan) et sont une infime minorité en Syrie où ils vivent dans des villages au nord de la frontière libanaise.

communauté du Liban qui, du fait de sa force militaire et de sa concentration territoriale, a arraché cette reconnaissance à l'Empire ottoman. Les populations musulmanes non sunnites, comme les chiites duodécimains, et les communautés professant des cultes plus ou moins syncrétiques comme les alaouites (entre 10 % et 12 % de la population syrienne actuelle) et les druzes (environ 3 % de la population syrienne actuelle) sont donc particulièrement marginalisées. De fait, le statut des paysans chiites libanais, soumis à la loi des grands propriétaires terriens, ressemble, sous une forme plus atténuée, au semi-servage et à l'oppression des paysans chiites sans terre d'Irak.

Dans un contexte multiethnique et multiconfessionnel commun au Levant et à la Mésopotamie, la différence structurelle fondamentale de l'espace syrien – au sens historique comme au sens de la Syrie actuelle – est qu'au lieu de trois grandes communautés, comme en Irak, coexistent un nombre beaucoup plus élevé de minorités face à une grande majorité arabe sunnite (on compte 69 % d'Arabes sunnites sur le territoire de l'État syrien contemporain, auxquels s'ajoutent 6 % de Kurdes, également sunnites). En comparaison avec l'Irak, les communautés non sunnites et non musulmanes sont donc plus diversifiées, plus dispersées, de plus petite taille et peuplent souvent les régions frontalières d'anciens *vilayets* ou le littoral méditerranéen.

C'est dans cette mosaïque à grande majorité arabe sunnite que les associations protonationalistes arabes qui émergent à la fin du XIXᵉ siècle commencent d'abord par adhérer à une forme de réformisme ottoman qui prône la décentralisation et la reconnaissance de l'identité arabe. Mais, devant l'échec de cette stratégie, la plupart finissent par converger, lors de la Première Guerre mondiale, avec le projet de royaume arabe promis par les Britanniques à la dynastie hachémite, que nous avons analysé au chapitre 2. Malgré leur domination militaire et diplomatique sur le terrain en Syrie, en Palestine et en Transjordanie, les Britanniques sont contraints de prendre en compte les exigences régionales de leurs alliés français – plus centrés sur le Liban –, sans parler des promesses d'un « foyer national juif » faites aux sionistes en Palestine et de la pression du soulèvement kémaliste en Anatolie.

Le mirage caressé par l'armée chérifienne et par le Congrès national arabe – réuni à Damas en mars 1920 –, à savoir la création d'un royaume arabe unifié de Gaza à Alep, laisse la place à la désillusion. Fayçal est lâché par Londres, alors que les Français marchent sur Damas. L'armée chérifienne est vaincue à Maysaloun le 24 juillet 1920, à environ 30 kilomètres à l'ouest de Damas, et le territoire de la Syrie historique, le *Bilâd ach-Châm*, est alors découpé en quatre entités : Syrie et Liban sous mandats français, Transjordanie et Palestine sous mandats britanniques.

Prenant modèle sur l'expérience druze et maronite au Liban, la France entend initialement asseoir sa domination dans cette Syrie « rétrécie » en réprimant le mouvement national arabe et en s'appuyant sur les communautés minoritaires, druze et alaouite, auxquelles elle octroie des formes d'autonomie dans le cadre de structures semi-étatiques. Sous prétexte de protéger les minorités religieuses, la France divise la Syrie, amputée du « Grand Liban » le 1er septembre 1920, en unités politiques distinctes : en septembre 1920 sont créés un État d'Alep (avec un régime spécial pour le sandjak d'Alexandrette) et un État de Damas, un Territoire des Alaouites (qui deviendra État en 1922) et, en mars 1921, le Jabal Druze.

Cette politique de divisions suscite la colère des nationalistes syriens. Après Maysaloun, des révoltes locales sunnites se succèdent entre 1920 et 1925, notamment à Alep, à Homs et dans la région de Deir ez-Zor. Quant aux druzes et aux alaouites, ils ne se satisfont nullement des « privilèges » que leur accorde la France et entrent, eux aussi, périodiquement en rébellion, comme en témoigne en particulier la grande révolte du Jabal Druze en 1925, mais aussi les poussées insurrectionnelles de la montagne alaouite jusqu'en 1921. C'est là une autre différence avec l'Irak, puisque dès son origine, l'État irakien est conçu comme un projet pour la seule minorité arabe sunnite. L'État syrien mandataire, en revanche, est contesté dès le départ par toutes les communautés pour des raisons différentes et sa construction ne s'appuie pas sur l'hégémonie de l'une d'entre elles.

Chaque communauté est en fait tiraillée entre des élites très minoritaires qui pactisent avec les Français et peuplent l'administration mandataire et de grandes majorités qui refusent la domination française et dont les bouffées périodiques de rébellion sont réprimées dans le sang. Même si la France n'exerce pas un favoritisme systématique à l'égard de telle ou telle minorité (si l'on excepte les chrétiens catholiques), c'est la majorité sunnite qui est sans doute la plus frustrée dans la mesure où elle se sent affaiblie et morcelée par la division de la Syrie historique. On sait que les sunnites de Tripoli, au Liban, par exemple, avaient toujours eu beaucoup plus d'affinités avec leurs coreligionnaires de Damas, Homs ou Hama qu'avec les chiites du Jabal 'Amel au sud du Liban ou avec les maronites de la montagne libanaise et il a fallu un certain temps pour que la « syrianité » comme la « libanité » se décantent et recueillent l'adhésion fragile de ces communautés.

Ce qui n'empêche pas les partis politiques syriens d'inspiration nationaliste arabe de faire assez rapidement leur deuil – tout comme en Irak – du projet chérifien et de tout horizon panarabe en dehors d'un discours artificiel convenu. Si les élites locales reconnaissent assez vite la légitimité de l'État établi telle qu'il a été délimité et constitué par les puissances mandataires, c'est parce qu'elles en font la cible de leurs aspirations au pouvoir.

Cette « révision à la baisse » des objectifs pan-arabes est bien illustrée par l'histoire du parti Baas, fondé en Syrie dans les années 1930 par trois personnalités, Michel Aflaq, Zaki Arsouzi et Salah ad-Din Bitar. Tous trois sont d'anciens étudiants de la Sorbonne, pétris de culture française et des idées nationalistes alors en vogue en Europe. Aflaq est un professeur d'histoire de confession grecque orthodoxe, Arsouzi un professeur de philosophie alaouite originaire d'Antioche (rattachée en 1939 à la Turquie), et Bitar, le seul scientifique des trois, un Arabe sunnite.

Si l'engagement d'Aflaq et d'Arsouzi reflète bien l'investissement des minorités syriennes dans le parti Baas, les sunnites, en revanche, n'adhéreront que plus lentement au projet baassiste. La situation est toute différente en Irak, où ce sont d'ailleurs des Syriens qui fondent le Baas local. Celui-ci était à l'origine nettement multiconfessionnel et c'est à partir de 1963 que les chiites, traumatisés par la répression féroce exercée par les baassistes à l'encontre des communistes irakiens, quittent le parti et l'abandonnent aux militaires sunnites (on passe en quelques mois de 57 % de chiites dans la direction du parti Baas irakien à seulement 7 %, puis à leur disparition presque totale). En Irak comme en Syrie, le Baas attire les minoritaires, Arabes sunnites en Irak, communautés minoritaires en Syrie. Avec toujours la même aspiration : échapper au statut de minorité.

Si la composition communautaire respective du Baas syrien et du Baas irakien finit donc par être presque diamétralement inversée, dans les deux pays, c'est avant tout l'appartenance à la caste militaire qui permet de s'imposer au sein du parti. Or, en Syrie, ce sont les alaouites et les druzes qui vont s'investir le plus massivement dans les carrières militaires, donc dans le parti Baas. Jusqu'à l'émergence du nassérisme, le Baas reste marginal, car perçu comme trop lié à cette base communautaire étroite. Ce n'est qu'après 1952 que, stimulés par la vague d'enthousiasme panarabe déclenchée par la révolution des Officiers libres en Égypte, les sunnites syriens adhèrent massivement aux divers courants du nationalisme arabe laïque, dont le Baas. La lune de miel entre baassistes syriens et Nasser aboutit à la proclamation de la République arabe unie (RAU) en 1958.

Dans les années 1950, une nouvelle génération de baassistes se manifeste autour d'Akram Hourani, issu d'une grande famille sunnite de Hama, qui prend très vite ses distances avec les pères fondateurs du Baas qui, comme nous l'avons vu, appartenaient plutôt aux minorités. L'expérience éphémère de la RAU (1959-1961) semble initialement unir toutes les factions militaires du Baas autour du projet d'union avec l'Égypte nassérienne. Mais, très rapidement, l'inféodation au Caire cristallise les contradictions et finit par discréditer les dirigeants baassistes partisans de Nasser. La mainmise des services secrets égyptiens sur la Syrie, ravalée au rang de simple province marginalisée par les velléités hégémoniques du Caire, et l'autodissolution du Baas au sein de l'Union nationale arabe (le parti de Nasser) provoquent le mécontentement populaire et débouchent sur un coup d'État séparatiste qui met Hourani à l'écart. Ce dernier finit d'ailleurs par se rallier lui-même à la sécession et le Baas syrien se reconstitue, toujours avec un discours nationaliste panarabe, mais qui n'est plus que le cache-sexe rhétorique de son adhésion à un projet nationaliste strictement syrien. De fait, la tendance pro-Nasser est exclue du parti. Les minorités confessionnelles, on s'en doute, étaient, au sein du Baas, les plus hostiles à la mainmise égyptienne sur la Syrie, le nassérisme étant assimilé à un sunnisme dominateur.

Un nouveau coup d'État, en mars 1963, amène au pouvoir en Syrie un groupe de jeunes officiers baassistes formés en Égypte qui s'opposent à la génération des pères fondateurs et bouleversent l'organisation du parti, inaugurant peu après l'ère de ce qu'on appellera le « néo-Baas », plus enclin à des réformes progressistes et socialisantes. Dans un jeu de positionnements assez complexe, ils entérinent la rupture avec la RAU tout en se démarquant des sécessionnistes.

La « colonisation » de l'armée par les alaouites commence alors. Un de ces officiers, l'alaouite Salah Jadid, prend le pouvoir en février 1966 et confie le ministère de la Défense à un de ses compagnons d'armes, Hafez al-Assad, lui aussi originaire du village de Qardaha, une obscure bourgade de la montagne alaouite. Leur ascension est emblématique du renouvellement du *leadership* de l'armée. Les vieilles familles d'officiers qui peuplaient la hiérarchie militaire sont peu à peu écartées par de nouvelles élites prétoriennes issues de régions pauvres et périphériques, un peu à l'image de ce qui se passera en Irak avec le clan des Takritis autour de Saddam.

Mais, à la différence de l'Irak, où les trois grandes communautés, sunnite, chiite et kurde, ont des stratégies politiques plus lisibles, l'investissement progressif de la hiérarchie militaire syrienne par les alaouites, les druzes et les ismaéliens n'est pas le reflet d'une stratégie communautaire consciente et unifiée au niveau politique. Il s'agit plutôt de stratégies locales de promotion sociale pour des groupes marginalisés qui n'ont pas accès aux ressources économiques de la bourgeoisie urbaine sunnite – le pays alaouite demeure alors une région pauvre et à l'écart du développement.

Numériquement, cet essor des minorités au sein de l'armée est spectaculaire. En 1963, druzes, ismaéliens et alaouites ne représentaient que 15 % de la caste des officiers supérieurs, soit un peu moins que leur poids global dans la société. En 1975, cinq ans après la prise du pouvoir par Hafez al-Assad, ils cumulaient 60 % des postes d'officiers supérieurs, tandis que la troupe demeurait sunnite. Mais, au sein même de cet univers militaire baassiste de plus en plus dominé par les alaouites en particulier, les enjeux de pouvoir donnent lieu à des rivalités sanglantes entre factions qui reposent sur des bases beaucoup plus étroites : *'asabiyas* locales ou solidarités de génération entre officiers membres d'une même promotion.

Assad, son régime autoritaire et les alaouites

C'est dans ce contexte de factionnalisme complexe, de marginalisation des civils et d'éclipse de la génération fondatrice du Baas, le tout masqué par un vernis de discours nationaliste arabe, qu'Assad engage sa propre lutte de pouvoir au sein du parti et de l'armée et dépose Jadid en 1970. Il inaugure ainsi une longue phase de régime autoritaire à base clanique qui finit par disloquer la société syrienne et provoquer le retour du refoulé confessionnel. Pour autant, le régime qu'il instaure ne peut pas être décrit comme un « régime alaouite », comme on l'entend dire parfois. Le premier État irakien (1920-2003) était sunnite dans sa conception et dans sa composition. Mais que signifierait un État alaouite ? La religion des alaouites est marquée par un réel ésotérisme et ne semble pas susceptible de porter un projet politique. En Syrie, le retour du communautarisme et du confessionnalisme est beaucoup plus tardif qu'en Irak, où la « sunnitisation » presque intégrale du Baas a lieu dès 1963. À Damas, la stratégie des *'asabiyyas* n'obéit pas, tout du moins au début, à une logique confessionnelle mais bien plutôt familiale : les cinq frères du président Assad, qui occupent des postes importants dans le parti, l'armée et le gouvernement, sont de fait pour lui une force d'appui non négligeable. Parmi ces derniers, Rifa'at al-Assad dirige à partir de 1970 les célèbres « Brigades de défense », chargées de protéger le régime. Cela ne l'empêchera pas de tomber en disgrâce en 1984. D'autres membres du clan dirigent les sinistres *mukhâbarât*, les services secrets tant craints par la population.

Dès les années 1970, les observateurs extérieurs commencent à voir émerger sur le territoire syrien des mouvements de protestation à forte connotation communautaire et confessionnelle, même si les Syriens eux-mêmes ne le perçoivent guère alors et vivent encore largement dans l'illusion nationale. Les Frères musulmans syriens commencent en effet à diriger leurs discours contre le « régime laïque et impie » du Baas.

La désaffection des sunnites à l'égard du régime d'Assad atteint un seuil critique avec le tournant que constitue le soutien de Damas à la révolution islamique en Iran en 1979. Ce soutien était-il la manifestation d'un confessionnalisme chiite caché ? Les liens entre le chiisme duodécimain majoritaire et la secte alaouite de Syrie datent du début du XXᵉ siècle et sont trop ténus pour pouvoir l'affirmer. Beaucoup plus plausible est l'explication géopolitique : en concurrence avec l'Irak dirigé par une branche ennemie du Baas, le régime d'Assad fait le choix de l'Iran. L'alliance de Damas avec Téhéran inaugure, il est vrai, une ouverture sans précédent au chiisme en Syrie. Alors que les processions sunnites sont interdites ou limitées aux mosquées par les forces de sécurité, la communauté chiite de Damas, pourtant très peu nombreuse, devient l'objet de toutes les attentions du régime engagé dans une alliance stratégique avec Téhéran. Les tombeaux de Sayyida Zaynab et Ruqayya, à Damas, deviennent des lieux de pèlerinage chiite de plus en plus fréquentés, à un moment où l'accès aux villes saintes d'Irak est difficile. Il est alors facile de dénoncer le « croissant chiite », une menace brandie régulièrement par les sunnites de la région.

C'est à cette époque qu'on voit surgir, notamment à Alep et à Hama, des acteurs qui s'opposent de façon violente au régime baassiste au nom de l'islam sunnite. Ces mouvements, mobilisés autour des Frères musulmans, sont sauvagement réprimés par l'armée syrienne, qui n'hésite pas à utiliser des armes de destruction massive contre sa population. La réaction sanguinaire du régime fait des dizaines de milliers de morts et se traduit par la destruction presque totale de la vieille ville de Hama, en 1982. L'idée que la dictature baassiste est un régime impie et antimusulman et que l'armée est totalement contrôlée par une minorité illégitime et oppressive commence dès lors à faire son chemin dans les esprits et à affleurer dans certains discours de l'opposition.

Dans les années 1990 et 2000, se constituent dans la clandestinité divers mouvements et partis qui s'affichent au grand jour lorsque l'onde de choc des printemps arabes atteint la Syrie, en février-mars 2011. Initialement, les protestataires avancent des mots d'ordre pacifiques au nom de la société civile et promeuvent des mobilisations à caractère multicommunautaire et multiconfessionnel. *Wâhed wâhed wâhed ! Ach-cha'b as-sûri wâhed !* (« Un, un, un ! Le peuple syrien est un ! ») est alors le slogan le plus entendu. Mais, là encore, la répression sanglante mise en œuvre par le régime favorise la communautarisation et la confessionnalisation du soulèvement populaire.

À partir de la fin 2011, la rancœur anti-alaouite commence à s'exprimer beaucoup plus ouvertement, et sous une forme parfois très radicale au sein d'une partie de la majorité sunnite. On oublie souvent que la Syrie a été la terre de prédilection du hanbalisme, rite de l'islam sunnite qui est aussi le plus conservateur, et qui a fortement influencé l'émergence du wahhabisme [3] dans la

---

3. Wahhabisme : courant fondé par Mohammed ibn Abd al-Wahhab (1703-1792) qui domine en Arabie saoudite et au Qatar. C'est une interprétation fondamentaliste du hanbalisme.

péninsule Arabique. Ce fonds ancien, où vient puiser notamment un antichiisme virulent, a favorisé les attitudes sectaires envers les minorités musulmanes. On voit donc bientôt émerger dans l'opposition armée les premiers groupes salafistes et djihadistes, dont le principal est *Jabhat al-Nusra* (Front pour la victoire), qui prête allégeance à Al-Qaïda.

Pour ne pas simplifier indûment ce processus de radicalisation d'une partie de la communauté sunnite de Syrie et comprendre son caractère relativement tardif, il faut rappeler que le régime d'Assad se montre capable, dans les années 1990 et 2000, de susciter un authentique *leadership* religieux sunnite qui ne lui est pas hostile. Ainsi, par exemple, à Damas, le cheikh Ahmad Kuftaro (1915-2004), avocat du dialogue interreligieux et Grand Mufti de la République arabe syrienne à partir de 1964, puis le cheikh al-Bouti (1929-2013), tous deux d'origine kurde et d'obédience soufie, ne sont pas de simples marionnettes entre les mains du régime et symbolisent alors l'alliance de fait entre le pouvoir baassiste et une partie importante de la bourgeoisie urbaine sunnite qui, bien que largement exclue des sommets de l'appareil d'État et de la hiérarchie militaire, n'a rien perdu de son statut social et de son pouvoir économique. Elle voit, au contraire, ces derniers se renforcer à l'occasion de la politique d'*infitâh*, à savoir d'ouverture et de libéralisation économiques, engagée par Hafez al-Assad à la fin de son règne et poursuivie par son fils Bachar.

Prenant pour modèle la gestion de l'islam héritée de l'Empire ottoman, mais aussi le contrôle exercé par Nasser sur Al-Azhar[4] et les confréries soufies, Hafez al-Assad prend très vite ses distances avec le discours laïque originel du Baas et multiplie les occasions de manifester son respect envers les institutions musulmanes sunnites. Mufti de la République, ministère des Waqfs[5], Fondation islamique Abou an-Nour de Damas et le prestigieux Institut des croyances et religions de la faculté de la Charî'a de Damas, qui forme beaucoup d'imams, notamment des imams européens, sont autant d'institutions officielles de l'islam

---

4. Al-Azhar : célèbre mosquée-madrasa du Caire dont le cheikh est considéré comme une autorité spirituelle pour les musulmans sunnites.

5. Waqf, ou bien de mainmorte. Don ou legs d'un bien ou d'une propriété à perpétuité à l'État musulman pour des œuvres pieuses ou le bien public.

syrien. On voit même Assad assumer une identité « crypto-sunnite » en allant prier ostentatoirement à la mosquée des Omeyyades à Damas, alors même qu'il s'agit d'une pratique totalement étrangère aux alaouites. Pendant longtemps, le régime baassiste pratique donc à l'égard de la communauté sunnite majoritaire un mélange de séduction confessionnelle et d'alliances affairistes et clientélistes qui explique en partie que, jusqu'à aujourd'hui, une fraction non négligeable des populations citadines sunnites aisées continue à soutenir Bachar al-Assad[6].

Depuis 2011, confronté au soulèvement populaire, Assad choisit la politique du pire et joue la carte d'une confessionnalisation à outrance du conflit, qui révèle une convergence perverse du régime d'Assad avec les objectifs des forces djihadistes surgies à ce moment. Dans une volonté délibérée d'affaiblir les tendances les plus laïques et les plus pacifiques au sein de l'opposition, les autorités syriennes libèrent en 2011 des centaines de

---

6. Toutefois, l'assassinat du cheikh al-Bouti en mars 2013, lors d'un attentat-suicide dont il est la cible, marque l'échec final de l'islam sunnite officiel en Syrie.

prisonniers salafistes-djihadistes[7] qui partent rejoindre leurs frères d'armes sur les divers fronts de l'insurrection. Le régime prend également soin de bombarder prioritairement les positions et les unités de l'Armée syrienne libre (ASL), la principale force armée opposée au régime au début de la guerre civile, constituée d'anciens officiers de l'armée syrienne, pétris de nationalisme arabe et luttant pour la démocratie[8]. Il laisse ainsi s'étendre le territoire contrôlé par les milices salafistes. Ce faisant, Assad transmet un message destiné tout à la fois aux Occidentaux et à sa propre population, en particulier à une bourgeoisie sunnite qui oscille entre loyauté craintive et velléités dissidentes : moi ou le chaos ! Mais, avec le morcellement croissant du territoire syrien, le chaos prospère de toutes les façons et c'est dans ce contexte de violence structurelle, de délitement institutionnel

---

7. Parmi eux figurait Abou Moussaab al-Souri, considéré comme le nouvel idéologue du djihad global.

8. Depuis le printemps 2014, l'ASL, à bout de souffle et divisée, est armée et formée, à l'initiative des États-Unis, par l'Arabie saoudite, la Jordanie, les Émirats arabes unis et la France, mais aussi la Turquie à partir de décembre 2014. L'ASL est présente dans les régions d'Alep, Damas, Homs et Deraa, près de la frontière avec la Jordanie.

et de fragmentation territoriale que l'État islamique est venu s'insérer et a consolidé son emprise dans presque tout le nord-est du pays. Nous verrons plus en détail au chapitre 6 comment s'est déployé sur le terrain le volet syrien de la stratégie djihadiste de l'État islamique, qui a choisi de fait d'installer sa capitale administrative non pas à Mossoul, mais à Raqqa, à 160 kilomètres à l'est d'Alep, en Syrie.

L'occupation militaire américaine en Irak et le printemps arabe de 2011 en Syrie ont donc fini par aboutir au même résultat : le délitement de l'État et le démembrement de son territoire sur des bases confessionnelles et communautaires. Pour autant, ce processus présente des différences non négligeables dans chacun des deux pays. Si, en Irak, l'État islamique a pour l'instant conquis l'adhésion majoritaire des Arabes sunnites, en Syrie, la communauté sunnite reste partagée entre diverses allégeances, y compris des allégeances salafistes distinctes. Ainsi, si l'État islamique règne sur les zones de steppes et de déserts à culture bédouine de l'est et du nord-est du pays, *Jabhat al-Nusra*, affilié à Al-Qaïda, tend plutôt à monopoliser la représentation d'une partie croissante de la population sunnite des grands centres urbains de l'ouest,

Hama, Homs, Alep et Damas. Des mouvements insurgés salafistes non djihadistes, engagés pour leur part dans une démarche qui se veut d'abord piétiste, sont implantés dans les différentes zones « libérées » ou encore tenues par le régime.

En Irak, en dépit d'escarmouches épisodiques ou d'offensives locales circonscrites qui pourront faire perdre ou gagner telle ou telle localité mineure à l'un des belligérants, les frontières entre les trois grandes zones communautaires (sunnite-État islamique, chiite et kurde) sont, jusqu'à présent, en phase de stabilisation et délimitent des territoires relativement continus et homogènes. Ce n'est pas du tout le cas en Syrie, où le territoire est morcelé « en peau de léopard » et sujet à des évolutions et des retournements parfois très rapides. Mais l'État syrien semble désormais totalement incapable de reprendre pied durablement dans les régions qui lui ont échappé. Au milieu de cette confusion et de cette incertitude sanglante, on peut estimer que les enjeux syriens dépendent fortement aujourd'hui des enjeux irakiens. Si l'indépendance de fait du Kurdistan irakien s'affirme, si le gouvernement de Bagdad ne représente plus que la population chiite et si l'État islamique consolide son emprise sur les zones sunnites du pays, l'effondrement de l'État irakien sera irréversible et finira par entraîner avec lui celui de l'État syrien. Les autres États de la région ne manqueront pas alors de ressentir, chacun à leur manière et avec parfois des conséquences insoupçonnées, l'onde de choc de ce bouleversement géopolitique.

5.

Vers un bouleversement
du Moyen Orient ?

Les conséquences sur les États de la région du délitement des États irakien et syrien, avec l'émergence de l'État islamique, doivent être analysées de façon différente en fonction de la genèse de chacun d'entre eux. Il faut en effet distinguer les États qui sont des créations mandataires, comme le Liban ou la Jordanie, qui, à l'instar de la Syrie et de l'Irak, sont profondément marqués par leur origine coloniale et par le partage de la région entre les puissances victorieuses de la Grande Guerre, des autres États frontaliers comme la Turquie ou l'Arabie saoudite[1].

---

1. Si nous n'abordons pas dans ce chapitre le rôle de l'Iran, bien que la République islamique soit évidemment impliquée dans la spirale conflictuelle attisée par la création et l'action de

L'État islamique aux portes du Liban

De tous les pays du Moyen-Orient, le Liban est certainement le plus menacé non seulement par la rhétorique de l'État islamique, mais aussi par ses avancées concrètes sur le terrain, puisque les djihadistes sont présents le long de la frontière syro-libanaise et ont d'ores et déjà effectué des incursions en territoire libanais.

La création, en 1920, de l'État libanais et sa séparation du reste de la Syrie historique sont l'expression de la volonté française de créer au Moyen-Orient un État à population majoritairement chrétienne. Mais, en voulant rattacher à Beyrouth et à la montagne libanaise chrétienne et druze, des régions comme Tripoli, le Akkar ou la plaine de la Bekaa, dans le but d'assurer une assise plus ample au territoire du nouvel État, la France crée un véritable casse-tête politique et remet en cause la majorité chrétienne.

---

l'État islamique, c'est qu'elle n'y intervient que comme acteur visant à préserver des intérêts géopolitiques régionaux, certes cruciaux pour Téhéran, mais sans connaître de risques de déstabilisation majeurs liés à des enjeux politiques internes, au contraire de la Turquie ou de l'Arabie saoudite, par exemple.

Ce sont dix-huit communautés différentes qui cohabitent en fait sur le territoire libanais et, à partir de 1943, cette réalité composite se traduit par la formation d'un État indépendant qui repose sur un arrangement institutionnel à la fois tacite – il n'est pas inscrit dans la Constitution – et systématiquement appliqué : le confessionnalisme politique. À tous les échelons de l'État, chacune des dix-huit confessions est représentée en fonction de son importance démographique réelle ou présumée avec, en particulier, la tripartition bien connue entre un président de la République maronite, un Premier ministre sunnite et un président du Parlement chiite. Cette partition se démultiplie au niveau des ministères et de toutes les administrations. Après la fin du mandat (les dernières troupes françaises quittent le Liban en 1946), ce système fonctionne dans un semblant de pluralisme politique tant que la France reste la puissance tutélaire la plus présente au Liban, mais il commence à être remis en cause au fur et à mesure que Paris se désengage et que les rapports de forces entre communautés évoluent.

À partir de la fin des années 1950, en effet, on assiste à l'amorce d'un processus irréversible : l'émancipation de la communauté chiite, une communauté trop souvent oubliée de l'histoire du Liban et qui va s'imposer politiquement et militairement comme la première communauté du pays (30 % de la population libanaise est chiite contre 21 % de sunnites). À la suite des autres, la communauté chiite libanaise connaît enfin à son tour une véritable révolution sociale interne : les masses chiites déshéritées secouent le joug des grandes familles féodales qui les dominaient et se dotent d'un nouveau *leadership* religieux qui revendique toute sa place sur la scène politique nationale. Moussa al-Sadr (1928-1978) en est le premier héraut à partir des années 1960 et son Mouvement des déshérités, créé en 1973, entend militer pour des droits civiques plus étendus et pour l'amélioration des conditions de vie des chiites les plus pauvres. Sa milice, Amal, au terme de scissions et de conflits, laissera la place au Hezbollah en 1982.

Par ailleurs, les guerres successives entre le monde arabe et Israël aggravent les tensions internes au Liban. Et l'arrivée de centaines de milliers de réfugiés palestiniens, par vagues depuis 1948, bouleverse les équilibres démographiques et déstabilise davantage encore le système politique libanais.

Tous ces facteurs mettent à mal l'équilibre précaire instauré par la France, même si, un peu comme en Irak et en Syrie, une forme d'« illusion nationale » finit par s'enraciner, avec notamment la « libanisation » progressive de la communauté qui était le plus attachée à la Grande Syrie et avait eu le plus de mal à se reconnaître dans le nouvel État, à savoir la communauté sunnite.

Le résultat de ce déséquilibre est la guerre civile ou plutôt l'enchaînement confus de guerres communautaires [2] qui durent de 1975 à 1990 et voient s'affronter Libanais (chrétiens, puis chiites) et Palestiniens, puis chrétiens et musulmans, impliquant aussi de façon spécifique les druzes et les chiites et suscitant une série de lignes de fracture internes, d'alliances et de retournements trop complexes pour être analysés ici. Tous les conflits de la région semblent alors trouver une caisse de résonance au pays du Cèdre. Le vide laissé par le désengagement de la France avait été comblé dans les années 1950 par les États-Unis puis, à partir de

---

2. Le premier mouvement insurrectionnel, massivement soutenu par les sunnites, fut, en 1958, celui en faveur de Nasser et de la République arabe unie, qui fut maté par les États-Unis qui envoyèrent leur armée à Beyrouth.

1976, par l'occupation syrienne, qui dure trois décennies, une occupation qui ne parvient pas à mettre un terme à la guerre civile.

Après le début du désengagement des Syriens en 2004, le Liban retrouve ses vieux démons. À la suite de l'assassinat du Premier ministre saoudo-libanais Rafic Hariri en 2005, les troupes syriennes se retirent définitivement et les forces politiques libanaises se divisent en deux camps : le camp pro-syrien, qui unit essentiellement les chiites et une partie des chrétiens autour du général Aoun, et le camp antisyrien, avec les sunnites, une autre fraction, majoritaire, de chrétiens et les druzes de Walid Joumblatt. Mais le plus important est que l'antagonisme principal qui opposait jadis les chrétiens et les musulmans et qui structurait les conflits libanais cède la place à un face-à-face interne à l'islam entre chiites et sunnites.

À partir de la révolution islamique en Iran de 1979, la communauté chiite libanaise entame sa marche vers le pouvoir. Dans les années 2000, le Hezbollah est considéré comme un véritable « État dans l'État » et cristallise l'opposition à son encontre du camp antisyrien, initialement sous l'hégémonie des notables sunnites modérés. Mais l'essor du Hezbollah radicalise des secteurs importants de la communauté sunnite, en particulier dans les provinces où de nouveaux acteurs religieux remettent en cause le *leadership* traditionnel de la bourgeoisie sunnite de Beyrouth (notamment après l'assassinat de Rafic Hariri et le retrait des troupes syriennes en 2005). Depuis les années 1980, des courants salafistes ont commencé à se développer, en particulier à Tripoli, à Saïda et dans les zones sunnites de la Bekaa. La dégénérescence du soulèvement populaire en Syrie à partir de mars 2011 et sa métamorphose en guerre civile confessionnelle exacerbent le clivage entre chiites et sunnites au Liban, qui avait déjà donné lieu à des affrontements violents, en particulier à Saïda en 2011, entre la milice du cheikh salafiste Ahmed al-Assir et les chiites du Hezbollah. À Tripoli, le face-à-face tendu entre un quartier sunnite devenu emblématique, Bab al-Tebbaneh, et Jabal Mohsen, un quartier à majorité alaouite, prend les allures d'une confrontation endémique. Une partie croissante de la population sunnite libanaise soutient les insurgés syriens, dans un premier temps ceux de l'Armée syrienne libre, puis, de façon croissante, les djihadistes de *Jabhat al-Nusra*. Parallèlement, l'afflux massif de réfugiés syriens au Liban – 1,1 million selon l'ONU, soit 25 % de la population libanaise et trois fois plus que les Palestiniens – devient un nouveau facteur de déstabilisation.

Cette masse de réfugiés, majoritairement sunnites, est divisée entre partisans de l'insurrection contre Bachar al-Assad et partisans du régime de Damas. Sa présence déstabilise totalement le marché du travail local, où un ouvrier syrien coûte trois fois moins cher qu'un salarié libanais. D'où des phénomènes de rejet dans la société libanaise qui s'expriment par des actions emblématiques comme le démantèlement d'un camp de réfugiés syriens, Bourj ach-Chemali, par le maire chiite de Tyr, ou par des violences interconfessionnelles entre chiites et sunnites, comme dans la Bekaa.

Un facteur essentiel d'aggravation de la situation est l'implication décisive et soutenue depuis 2012 des combattants du Hezbollah dans le conflit syrien, qui a pour effet d'annuler symboliquement (et même matériellement) la frontière entre Syrie et Liban, légitimant de fait le discours transnational des adversaires salafistes-djihadistes de la puissante milice chiite.

C'est dans ce contexte explosif qu'intervient l'État islamique, d'abord en occupant en Syrie des territoires frontaliers jadis contrôlés par *Jabhat al*

Nusra – soit en s'en emparant directement, soit parce que des brigades locales de *Jabhat al-Nusra* changent d'allégeance – et jouxtant la Bekaa, la route Damas-Beyrouth ou le nord du Liban, ensuite, en faisant des incursions spectaculaires en territoire libanais, comme l'occupation temporaire de la ville à majorité sunnite d'Arsal, en août 2014, au nord de la Bekaa.

De même qu'il a renoncé à investir les zones chiites d'Irak, l'État islamique n'espère pas pouvoir occuper durablement des territoires d'un pays aussi multiconfessionnel que le Liban. Pour plusieurs raisons évidentes : la présence massive des chiites défendus par les troupes aguerries du Hezbollah, celle d'une communauté chrétienne qui, même affaiblie, a un poids politique et militaire bien plus important que les chrétiens ou les yézidis en Irak, et une armée libanaise qui, bien que tenue à bout de bras et financée par l'Arabie saoudite, mais aussi par les États-Unis et par la France, a aujourd'hui une consistance et une efficacité bien plus grandes que pendant la phase de la guerre civile de 1975-1990.

En revanche, les incursions de l'État islamique répondent à une stratégie de provocation extrêmement bien pensée qui vise à miner la fragile cohésion de la société libanaise. De fait, le « piège Daech » a d'ores et déjà fonctionné au Liban dans la mesure où, à Arsal et à Tripoli en particulier, les djihadistes de l'État islamique ont réussi à impliquer directement l'armée libanaise dans le conflit syrien, à remettre en cause sa neutralité et à la déconsidérer en la faisant percevoir par nombre de sunnites comme un auxiliaire de fait du Hezbollah. La prise d'otages (début août 2014) de militaires libanais par les combattants de l'État islamique qui exigent en retour la libération de militants salafistes libanais prisonniers à Beyrouth, et l'intervention musclée – bombardements d'artillerie à l'appui – de l'armée libanaise dans certains quartiers sunnites de Tripoli alimentent les rumeurs. Dans la guerre ouverte et sans merci que se livrent le Hezbollah et l'État islamique, l'armée libanaise peut à tout moment être entraînée là où elle s'est refusée à aller jusqu'à présent. La crainte d'être impliqués dans le conflit du pays voisin continue toutefois à susciter un soutien massif des Libanais à leur armée.

Par cette stratégie, l'État islamique entend gagner à sa cause des fractions croissantes de la communauté sunnite en minant son sentiment de « libanité » et en attisant une hostilité antichiite (et aussi antialaouite à Tripoli, la seconde ville du pays) qui alimente l'essor des courants salafistes locaux. Ce faisant, il vise à créer des abcès de fixation déstabilisateurs et des zones « libérées », comme à Tripoli (les quartiers sunnites de Bab al-Tebbâneh et de Qobbeh), où des imams salafistes et des médias sunnites locaux ont déclaré, au cours des derniers mois, leur allégeance à l'État islamique et où le drapeau noir du califat djihadiste flotte dans certains quartiers.

Une Jordanie tétanisée

Autre État héritier de la trahison des promesses faites au chérif de La Mecque, la Transjordanie – fondée sous ce nom en 1921 et devenue Jordanie en 1949, même si son territoire s'est à nouveau rétréci en 1967 à celui de la Transjordanie – partage avec l'Irak la caractéristique d'être une des deux solutions de repli offertes à la dynastie hachémite, à l'issue de la Révolte arabe. Après la conférence du Caire de 1921, le trône sur le territoire transjordanien est en effet accordé au troisième fils du chérif Hussein, Abdallah Ier, sous la surveillance d'un résident britannique.

De tous les États mandataires, la Jordanie est aussi celui dont l'existence politique et la consistance territoriale sont le plus directement mises en danger par la question palestinienne et par les aléas du conflit entre Israël et le monde arabe. À la fin des années 1960, l'arrivée de centaines de milliers de Palestiniens déstabilise profondément le royaume. L'agitation quasi insurrectionnelle régnant dans les camps de réfugiés est étouffée dans le sang par une armée jordanienne entraînée par les États-Unis – une répression qui prend la forme d'une véritable opération militaire en 1970 pendant l'épisode « Septembre noir ».

La majorité de la population jordanienne est aujourd'hui d'origine palestinienne, même si elle appartient à des vagues de migrations distinctes et se caractérise par des degrés divers de « jordanisation ». À la faveur de la démocratisation en vigueur depuis la fin des années 1980, la libéralisation politique et économique du pays contribue à la libération de la parole des différentes communautés et exacerbe de nouvelles tensions intercommunautaires entre Jordaniens et Palestiniens : les partis politiques qui se créent alors recoupent en effet très largement les divisions entre communautés. Beaucoup de Palestiniens se sont investis dans les

partis progressistes proches des formations palesti-
niennes de Cisjordanie et de Gaza, mais aussi dans
les organisations proches des Frères musulmans.
La Jordanie est aussi, depuis les années 1980, une
terre d'élection du salafisme, comme en témoigne
la figure d'Abou Moussaab al-Zarqawi, le célèbre
responsable d'Al-Qaïda en Irak, originaire de
Zarqa et tué en Irak en 2006 lors d'un raid américain. Les salafistes jordaniens se sont renforcés à la
faveur de la guerre consécutive à l'occupation irakienne du Koweït en 1990. Plus récemment, ils
ont manifesté régulièrement pour réclamer la libération d'Abou Mohammed al-Maqdessi, ancien
mentor d'Abou Moussaab al-Zarqawi – finalement libéré en décembre 2014 –, et d'Abou
Sayyaf, de son vrai nom Mohammed Chalabi,
condamné pour terrorisme après des heurts dans le
sud de la Jordanie, en 2002. Dans le sud du pays
touché par une grande pauvreté, la ville de Maan,
où Abou Sayyaf s'est imposé comme le leader local,
est aujourd'hui pratiquement hors du contrôle du
gouvernement et entre les mains des salafistes au
point d'être surnommée la « Falloujah » de Jordanie. Le gouvernement jordanien évalue à plus de
2 000 les djihadistes jordaniens qui combattent en
Syrie et en Irak.

Paradoxalement, la Jordanie se caractérise à la fois, d'un côté, par la faible légitimité de son État et de ses institutions, par la fragilité de son assise démographique et par le caractère particulièrement artificiel de ses frontières et, de l'autre, par le fait que les États-Unis et les puissances régionales la considèrent comme un acteur clé du jeu moyen-oriental et du conflit israélo-palestinien, donc à protéger et à sauvegarder absolument contre les dangers de déstabilisation. Or l'État islamique est désormais aux portes du royaume hachémite et il n'y a donc rien d'étonnant à ce que le régime jordanien soit au premier rang de la coalition régionale contre les djihadistes.

Ce rôle clé se manifeste par l'intensification de la répression intérieure contre la mouvance salafiste depuis 2011 avec des campagnes d'arrestations massives et une surveillance tatillonne des réseaux sociaux et des prêches dans les mosquées. Environ 130 sympathisants de l'État islamique sont détenus par les services de sécurité qui estiment à plusieurs milliers le nombre des salafistes-djihadistes jordaniens prêts à aller combattre en Syrie ou en Irak.

Les Frères musulmans jordaniens, qui ont une forte présence parlementaire, dénoncent cette politique de répression systématique en arguant du fait qu'elle est contreproductive et risque de faire le lit du djihadisme. Ils ont mis en garde le gouvernement et le roi en leur signalant qu'ils observaient dans leurs propres rangs une radicalisation croissante et une désaffection à l'égard du système politique.

Le territoire jordanien accueille en outre plus de 600 000 réfugiés syriens qui sont aujourd'hui perçus avec encore plus de suspicion que ne l'étaient les Palestiniens dans les années 1970 et qui sont considérés comme des éléments potentiellement subversifs et déstabilisateurs.

À la frontière syro-jordanienne, ce sont plutôt les combattants de *Jabhat al-Nusra* et de l'Armée syrienne libre qui prédominent aujourd'hui, notamment dans la région de Deraa, sur la route entre Damas et Amman. Mais, là aussi, l'État islamique joue la politique du pire en lançant des opérations contre des postes-frontières et en cherchant ainsi à la fois à provoquer le royaume hachémite et à gagner l'allégeance de combattants de *Jabhat al-Nusra* ou d'autres groupes salafistes. Tout comme au Liban, ces incursions provocatrices visent à piéger l'État et l'armée jordaniens et à les impliquer dans la guerre. De fait, quelques semaines après l'attaque d'un poste-frontière, la Jordanie rejoint officiellement la coalition anti-État islamique des pays de la région aux côtés de l'Arabie saoudite et des Émirats du Golfe. L'aviation jordanienne bombarde les positions des djihadistes à Raqqa et à Deir ez-Zor et les avions français auparavant basés dans les Émirats décollent désormais de bases jordaniennes. Les dirigeants jordaniens redoutent avant tout un effondrement de l'armée irakienne. La peur s'est insinuée dans les cercles dirigeants jordaniens qui s'efforcent de construire une sorte de zone-tampon à leurs frontières, notamment à la frontière irakienne, engageant des pourparlers avec les tribus insurgées de la province d'Al-Anbar pour obtenir qu'elles créent une zone démilitarisée de 10 kilomètres de large le long de la ligne de démarcation entre les deux pays. L'État islamique a un contentieux spécifique avec la monarchie hachémite : rappelons qu'Abou Moussaab al-Zarqawi avait été tué par les Américains à partir d'informations données par les services jordaniens. Le roi de Jordanie Abdallah II a qualifié le conflit en cours contre l'État islamique de « Troisième Guerre mondiale », affirmant que c'était « une guerre à l'intérieur de l'islam entre extrémistes et modérés ».

Arabie saoudite : le roi est nu

Cette obsession frontalière caractérise aussi l'Arabie saoudite qui est aujourd'hui engagée dans la construction, sur plus de 800 kilomètres, d'un système de surveillance longeant sa frontière avec l'Irak. Une clôture équipée de systèmes radars de détection séparera bientôt, en plein désert, le territoire saoudien de la province sunnite insurgée d'Al-Anbar, ainsi que des provinces chiites de Najaf et d'Al-Muthanna en Irak. Il faut dire que le royaume saoudien se sent désormais particulièrement menacé par la déliquescence des États issus des mandats et par l'expansion de l'État islamique.

Se présentant comme les gardiens des Lieux saints et d'une certaine orthodoxie islamique wahhabite, tout en étant totalement inféodés aux intérêts géopolitiques et pétroliers américains, les Saoudiens ont longtemps essayé de masquer leurs incroyables contradictions en diffusant dans le monde une version rigoriste de l'islam, qui a durablement nourri des mouvements qui, aujourd'hui, se retournent contre eux. Ils ont d'abord trouvé chez les Frères musulmans une base transnationale en partie réceptive à leur idéologie. On se souvient, par exemple, que les Frères musulmans égyptiens, frappés par la répression nassérienne, s'étaient massivement refugiés en Arabie saoudite avant de réimporter dans leur pays les idéaux et les mœurs du wahhabisme saoudien. Mais, alors que des prédicateurs proches de la confrérie dénonçaient, en 1991, l'utilisation du territoire saoudien par les forces aériennes américaines qui bombardaient les troupes irakiennes au Koweït, les Frères ont publiquement condamné la politique saoudienne et leurs relations avec Riyad se sont très vite envenimées. La rupture a été consommée d'autant plus rapidement que les Frères musulmans ont toujours été considérés comme des rivaux potentiels par le régime saoudien. Le Qatar s'est d'ailleurs aussitôt engouffré dans la brèche, devenant le nouveau parrain de la mouvance « frériste ». Les Saoudiens ont donc cherché de nouveaux relais et ont commencé à aider et financer généreusement divers mouvements salafistes, parfois eux-mêmes issus des Frères musulmans et ayant rompu avec eux. Aujourd'hui, paradoxalement, c'est le choc en retour de ce prosélytisme qui vient mettre à nu les contradictions et les tensions de la société et de la monarchie saoudiennes.

Le royaume fondé par Ibn Saoud fait désormais face à trois dangers principaux : la question chiite, la situation au Yémen et la subversion salafiste et djihadiste.

Les chiites, majoritaires dans la région pétrolière du Golfe, le Hassa, sont un facteur d'anxiété majeure pour le régime, tant du fait de leurs liens avec leurs coreligionnaires en révolte à Bahreïn, qu'en raison de leur affinité religieuse avec l'Iran et les chiites d'Irak. À la suite de la guerre du Koweït, qui vit le régime saoudien prêter main-forte à la coalition anti-irakienne dominée par les États-Unis en 1991, Riyad avait totalement changé de politique envers sa population chiite. Le régime saoudien avait pris conscience que la mouvance salafiste-djihadiste dans la péninsule Arabique était devenue complètement incontrôlable et risquait de contaminer le royaume, qu'il s'agisse de la prolifération de groupes ou de prédicateurs indépendants ou de tentations extrémistes au sein même de branches plus ou moins marginalisées ou dissidentes de la famille royale. Se sentant incapable de se battre sur deux fronts à la fois, Riyad a donc promu, à partir de 1993, un rapprochement spectaculaire entre la monarchie et les chiites saoudiens. Les attentats du 11 septembre 2001 et la chute de Saddam Hussein ont été à l'origine d'une ouverture sans précédent des Âl Saoud envers leur population chiite. C'est ainsi qu'on a assisté, par exemple, en 2004 et 2005, à des rencontres au sommet entre des représentants de l'*establishment* religieux wahhabite et des oulémas chiites coiffés de leur turban. Lors des premières élections municipales organisées dans le royaume, en 2005, les partis religieux chiites ont eu le droit de présenter des candidats et ont fait un très bon score dans certaines régions.

Mais la persistance d'une série de discriminations – comme celle qui interdit aux cadres et aux ingénieurs chiites l'accès aux échelons supérieurs de la compagnie pétrolière Aramco – et la répression antichiite à Bahreïn finissent par remettre en cause ces efforts. Les attentes soulevées par les printemps arabes et la confessionnalisation sanglante du conflit en Irak et en Syrie ramènent une bonne partie de la communauté chiite saoudienne dans le camp de l'opposition, dissipant l'illusion d'une réconciliation historique susceptible d'offrir au régime une plus grande marge de manœuvre face à l'« ennemi principal » salafiste-djihadiste.

Au Yémen, Riyad affronte une situation extrêmement complexe et explosive qui oblige les dirigeants saoudiens à naviguer entre le mouvement armé zaydite[3] au nord, le gouvernement de Sanaa, les séparatistes d'Aden et Al-Qaïda, très implantée dans les régions désertiques de l'est, dans la province de Ta'ezz et dans l'Hadramaout. C'est tout l'édifice de l'État yéménite qui est menacé. L'Arabie saoudite est donc fragilisée sur ses frontières et prise en tenaille entre des foyers de troubles remettant en cause les États en place tant au nord qu'au sud-ouest.

Il faut dire que le Yémen est devenu le lieu de refuge des militants saoudiens d'Al-Qaïda : c'est là qu'est fondée en 2009 Al-Qaïda dans la péninsule Arabique (AQPA) qui réunit Saoudiens et Yéménites djihadistes. Une guerre sans merci s'engage alors entre la milice zaydite Ansar Allah (les Partisans de Dieu) et Al-Qaïda. Ansar Allah réussit à s'emparer de la capitale, Sanaa, en septembre 2014. Les zaydites, qui représentent une branche minoritaire du chiisme, ont dominé les hauts plateaux yéménites durant des siècles à travers leur imamat, ce jusqu'en 1962. Ils se plaignent aujourd'hui d'avoir été marginalisés par le

---

3. Zaydites : adeptes d'une branche du chiisme souvent appelés « Partisans des cinq Imams » dont l'immense majorité se trouve au Yémen.

gouvernement sur les plans politique, économique et religieux. La confessionnalisation du conflit régional entre sunnites et chiites, on le voit, implique désormais des communautés qui n'avaient qu'un rapport lointain avec le chiisme duodécimain majoritaire. Aucun des deux protagonistes du conflit en cours au Yémen ne peut être à l'avantage du royaume saoudien.

Les événements du 11 septembre 2001 ont projeté au cœur de l'actualité les djihadistes saoudiens, dont Oussama Ben Laden a été le plus éminent représentant. Au sein même du royaume, les mouvements salafistes radicaux sont aujourd'hui très présents dans certaines régions, près des frontières yéménites et, notamment, au Nedjd, le berceau originel de la dynastie saoudienne. Malgré la surveillance étroite des prêches, des prédicateurs s'efforcent de diffuser par diverses voies leurs dénonciations d'un système qu'ils jugent inféodé aux Américains et à Israël.

C'est dans ce contexte de défis multiples que l'Arabie saoudite rejoint la coalition anti-Daech et que le Grand Mufti du royaume dénonce le calife autoproclamé Abou Bakr al-Bagdadi comme un usurpateur qu'il faut combattre à tout prix. Au mois d'août 2014, le Grand Mufti d'Arabie

saoudite déclare ainsi, en nommant l'État islamique et Al-Qaïda : « Les idées d'extrémisme, de
radicalisme et de terrorisme (…) n'ont rien à voir
avec l'islam et (leurs auteurs) sont l'ennemi
numéro un de l'islam. » Il poursuit : « Les
musulmans sont les principales victimes de cet
extrémisme, comme en témoignent les crimes per-
pétrés par le soi-disant État islamique, Al-Qaïda
et les groupes qui leur sont liés », avant de citer un
verset du Coran appelant à « tuer » les auteurs
d'actes préjudiciables à l'islam. Dans la foulée,
Riyad en est arrivée à qualifier aujourd'hui de « ter-
roristes » nombre de mouvements qui étaient, il y
a à peine quelques années, parfois même quelques
mois, les plus fidèles vecteurs de l'influence wahhabite dans la région. Il semble bien que le régime
saoudien se soit ainsi privé, en un temps record,
des relais qui, dans le monde musulman, pouvaient légitimer un système politique fondé sur un
grand écart (à la fois diffuseur d'une version wahhabite de l'islam dans le monde et pièce maîtresse
des intérêts américains dans la région) que peu de
régimes au monde ont pu incarner avec autant de
paradoxes.

Turquie : Erdogan pris à son propre piège

On pourrait croire que l'État turc et que le régime musulman dit « modéré » de Recep Tayyip Erdogan, en raison de l'assise institutionnelle du premier et de l'enracinement populaire et électoral du second, seraient plus à même de résister que les États arabes voisins à la tourmente régionale manifestée par l'essor de l'État islamique. Cependant, et même si c'est sans comparaison avec la débâcle de certains États arabes, la Turquie, elle non plus, n'échappe pas aux effets du « piège Daech » et au dangereux mouvement de confessionnalisation des enjeux politiques régionaux qu'il entraîne.

L'arrivée au pouvoir de l'AKP (Parti pour la justice et le développement) en 2002 constitue une rupture dans la politique de l'État turc à l'égard de ses propres minorités ethniques et confessionnelles. Pendant les années 2000, en partie sous la pression de l'Europe, le gouvernement fait des ouvertures aux Kurdes et satisfait une série de revendications, notamment en matière culturelle, sans pour autant jamais se risquer à une reconnaissance officielle du fait kurde pour ne pas heurter de front la vigilance de l'armée sur cette question ultrasensible. Une autre minorité très importante bénéficie de cette politique d'ouverture : les alévis, qui représentent entre 15 % et 20 % de la population, et qu'il ne faut pas confondre avec les alaouites syriens, même si beaucoup de traits rapprochent ces deux sectes issues du chiisme et mêlées d'éléments gnostiques, soufis et syncrétiques, et même chamaniques en ce qui concerne l'alévisme. Alors que les alaouites sont arabes, les alévis sont turcs pour 80 % d'entre eux, et 20 % sont kurdes.

À l'instar de beaucoup de minorités moyen-orientales attirées par les idéologies qui semblent leur garantir un statut d'égalité à travers l'accès à une citoyenneté indifférenciée, la communauté alévie a longtemps adhéré à une version progressiste du nationalisme turc laïque, ce qui a fait d'elle un des piliers de la gauche et du mouvement syndical turcs. Les alévis se sont ralliés dans leur immense majorité au kémalisme, même s'ils ne se privent pas d'en dénoncer les tendances autoritaires. Mais, à partir des années 1980, on constate chez les alévis un mouvement progressif similaire à celui qui touche toutes les communautés de la région, à savoir un épuisement des idéaux laïques et un retour partiel vers la pratique religieuse qui remet au premier plan un certain nombre de revendications identitaires. Les alévis dénoncent la difficulté de se voir reconnaître des lieux de culte et contestent l'obligation de suivre dans les écoles des cours d'islam sunnite (dont les chrétiens sont dispensés en Turquie), car ils sont officiellement assimilés à l'islam sunnite dominant. Ils réclament enfin la réforme du *Diyanet*, la Direction des affaires religieuses, soit pour inclure un département alévi (qui serait alors sous le contrôle de l'État), soit pour réduire le rôle de cette institution. Pour la première fois, sous le gouvernement de l'AKP, des débats publics sur l'identité religieuse de la Turquie sont organisés, y compris au Parlement, et la question de la légitimité du culte et des pratiques alévies commence à être discutée et posée publiquement – sachant que cette question est particulièrement complexe puisque les alévis eux-mêmes ne sont pas tous d'accord sur le fait de savoir s'ils sont musulmans ou non, s'ils sont une branche du chiisme ou encore autre chose.

Dans sa première phase « libérale », tout à la fois pour pouvoir affirmer sa version de l'islam politique et pour satisfaire les exigences en faveur du multiculturalisme promu par Bruxelles, l'AKP favorise donc une sortie du monolithisme culturel kémaliste. Or cette « pluralisation » de l'identité turque ne peut aboutir qu'à une remise en question de l'assimilation entre « turcité » et appartenance à l'islam sunnite, assimilation explicite dans le kémalisme, malgré son affichage laïque. Et, bien entendu, les élites musulmanes émergentes ayant accédé au pouvoir dans le sillage d'Erdogan ne peuvent vivre qu'avec une certaine ambivalence cette ouverture, dans la mesure où leurs tendances conservatrices – en phase avec celles d'une bonne partie de la société – les amènent à soupçonner que le multiculturalisme n'était qu'une nouvelle version de la stratégie classique des Européens et des Occidentaux consistant à ne promouvoir et « protéger » les minorités au Moyen-Orient que pour mieux diviser et asservir la communauté musulmane. Or la phase « libérale » de l'AKP se heurte à partir de 2011 à deux obstacles majeurs : les printemps arabes et le mouvement de protestation du parc Gezi qui, parti de la contestation en 2013 d'un projet d'urbanisme controversé au centre d'Istanbul, exprime la frustration d'un secteur important de la société face à l'autoritarisme croissant de l'AKP et surtout de Recep Erdogan.

Sur les plans diplomatique et régional, l'AKP promeut d'abord une stratégie en rupture avec la politique traditionnelle du kémalisme en s'ouvrant à ses voisins orientaux et en intensifiant considérablement ses relations avec le monde arabe – et aussi d'ailleurs avec le Kurdistan irakien, où les investissements turcs sont très importants. Dans les années 2000, les relations avec le régime de Bachar al-Assad sont particulièrement cordiales et Alep est pratiquement devenue une place forte économique turque. Les soulèvements arabes de 2011 changent complètement la donne. L'AKP caresse alors le rêve d'être une sorte de guide musulman des printemps arabes. Son réveil sera particulièrement brutal.

Dans la phase initiale du soulèvement syrien, l'AKP prend très rapidement contact avec l'opposition et jette l'anathème sur le régime de Bachar al-Assad au même moment où ses relations avec le gouvernement à majorité chiite de Bagdad se détériorent. Cette prise de position obéit surtout à un tropisme confessionnel qui fait qu'Ankara soutient indistinctement toute une gamme de mouvements se réclamant de l'islam sunnite au sein de l'opposition syrienne et ce même après que *Jabhat al-Nusra* se soit officiellement réclamé d'Al-Qaïda. Au vu de la périlleuse dégénérescence du conflit syrien, cette stratégie est de plus en plus critiquée en Turquie, non seulement par l'armée et les kémalistes, mais aussi par une bonne partie des électeurs de l'AKP eux-mêmes. D'après toutes les enquêtes, plus de 60 % des Turcs condamnent la politique d'Erdogan en Irak et en Syrie, et la présence de plus de deux millions de réfugiés syriens sur le sol turc crée des tensions et un sentiment d'exaspération croissants. Ce sentiment est particulièrement développé dans la région d'Iskenderun (la province de Hatay), par exemple, où la majorité arabe et alaouite de la population locale soutient Bachar al-Assad et voit dans les réfugiés syriens des agents potentiels des mouvements djihadistes.

Le fond du problème, c'est que l'AKP a cru pouvoir maîtriser un processus de communautarisation et de confessionnalisation du conflit syrien qui, non seulement crée aujourd'hui de graves problèmes à ses frontières, mais contamine désormais le champ politique turc lui-même. Lorsqu'en 2013, les manifestations en défense du parc Gezi donnent lieu à des incidents violents, les discours officiels pointent du doigt les alévis, en prononçant d'ailleurs ce mot en turc comme s'il s'agissait des alaouites, tandis que la police d'Istanbul publie des rapports alléguant avec une précision surprenante que 78 % des manifestants de Gezi sont des alévis. Le sous-entendu est clair : les protestataires ne sont que des renégats de l'islam, des apostats, des agents de Bachar al-Assad et des traîtres à la nation turque. La communauté alévie, elle-même, serait la cinquième colonne d'un complot de forces étrangères dans lequel Erdogan associe ouvertement Israël, l'Occident, les généraux égyptiens et le « régime alaouite » de Damas.

Cette contamination du jeu politique turc n'est pas seulement confessionnelle, elle est également ethnique. L'AKP a vécu dans l'illusion qu'on pouvait reconnaître pleinement le fait kurde chez le voisin – en Irak – sans le reconnaître chez soi, malgré un début prometteur des négociations de paix avec le PKK (Parti des travailleurs du Kurdistan, principal parti kurde de Turquie). En octobre-novembre 2014, Ankara est contraint, par la pression internationale et par une vague de protestations parfois violentes de la population kurde en Turquie, d'autoriser le passage sur son territoire de peshmergas kurdes irakiens venus aider leurs frères kurdes de Syrie, assiégés par l'État islamique à Kobané. Une telle entorse à la souveraineté nationale, dans un pays traditionnellement très sourcilleux sur le sujet, implique une reconnaissance tacite, sous contrainte, mais aux conséquences sans doute irréversibles, du fait kurde en Syrie, mais également en Turquie.

Les dirigeants du PKK ne s'y sont pas trompés. Interprétant à leur profit les graves difficultés de la politique syrienne et irakienne d'Ankara, ils jouent aussitôt les grands seigneurs en proposant une alliance au gouvernement turc pour défendre la Turquie contre l'État islamique à certaines conditions. Ce qui revient à dire : « Nous sommes à la fois aux côtés de nos frères du PYD (Parti de l'Union démocratique, pendant syrien du PKK turc) en Syrie et avec le gouvernement d'Ankara pour contrer ce danger majeur que représente l'État islamique ; par conséquent, nous combattons dans la même tranchée. » Mais, pour être vraiment dans la même tranchée, il faudrait que le gouvernement turc fasse précisément ce qu'il ne s'est jamais résolu à faire tout au long du conflit syrien : désigner son véritable ennemi.

C'est ce refus opiniâtre de faire le choix d'une priorité entre deux menaces qui explique la résistance d'Ankara aux pressions occidentales l'engageant à rejoindre une coalition anti-Daech dont l'AKP craint qu'elle ne profite aux Kurdes. C'est aussi ce qui explique que les autorités turques aient laissé pendant longtemps se transformer leur frontière avec la Syrie en véritable passoire (on a des témoignages de jeunes djihadistes français qui affirment n'avoir jamais passé une frontière aussi facilement), fermant les yeux sur les infiltrations djihadistes et vivant dans l'illusion qu'elles étaient capables de maîtriser la situation en favorisant telle ou telle force insurgée selon leurs intérêts. Cette politique délibérée de « laisser faire-laisser passer » avait pour but d'affaiblir tout à la fois le régime de Bachar al-Assad et les Kurdes, de même que la passivité initiale face au siège de Kobané répondait au désir de laisser Kurdes et djihadistes de l'État islamique s'entretuer, en croyant pouvoir gagner sur tous les tableaux.

Mais, dans ce jeu de poker, l'AKP a perdu presque tous ses paris. Aujourd'hui, le gouvernement turc est en mal de clients dans le monde arabe après avoir trop joué aux apprentis-sorciers. Il a de très mauvais rapports avec l'Armée syrienne libre – avec qui les relations se sont nettement détériorées après que celle-ci est intervenue à Kobané aux côtés des Kurdes – et, désormais, est en conflit ouvert, bien que tardif, avec *Jabhat al-Nusra* et l'État islamique. Ankara n'a guère plus comme alliés potentiels que quelques représentants de la mouvance proche des Frères musulmans, qui est de toute façon minoritaire sur le terrain et très affaiblie face aux diverses milices salafistes.

L'AKP a pensé pouvoir utiliser les conflits confessionnels du monde arabe en s'appuyant sur les communautés sunnites pour étendre son emprise, mais elle se trouve piégée par le fait que ces conflits ont maintenant débordé sur son propre territoire et que le « créneau » est occupé par l'État islamique. Ce dernier a privé la Turquie d'une partie essentielle de sa base locale, à savoir la grande majorité des Arabes sunnites d'Irak et une partie importante des sunnites de Syrie. Par ailleurs, le coup d'État du général Sissi en Égypte a mis fin à tout espoir de *leadership* musulman exercé depuis Ankara. Déjà soupçonnée d'arrogance et de condescendance néo-ottomane, la Turquie a largement perdu sa capacité à parler aux sociétés civiles arabes.

D'où l'isolement et le reflux de la diplomatie turque, qui contrastent avec son dynamisme des années 2000. Ankara tente désormais de se mettre en conformité avec les objectifs de la coalition contre l'État islamique, tout en résistant, malgré tout, à une implication militaire directe en Syrie et en Irak. Le gouvernement turc continue en effet à faire de la chute de Bachar al-Assad une priorité, alors que la coalition a clairement désigné la sienne : vaincre l'État islamique, même au prix d'une réconciliation avec l'Iran, voire avec le régime de Damas.

Le « piège Daech » a donc exploité le rêve de l'AKP de reconstituer une sphère d'influence néo-ottomane en mettant à nu l'ambiguïté coupable de la stratégie turque et en reconfessionnalisant de fait la politique extérieure et intérieure d'Ankara. Là encore, l'État islamique a entrepris délibérément de diffuser le plus largement possible le poison du confessionnalisme. On l'a vu, par exemple, lors de l'expulsion, en août 2014, des yézidis du Jabal Sinjar, dont une partie a dû être accueillie dans des camps de réfugiés en Turquie, suscitant une polémique dans la presse turque et incitant des ténors de l'AKP à déclarer qu'ils étaient d'accord pour accueillir sur le sol turc des musulmans et des chrétiens, « mais pas des adorateurs du diable ». L'État islamique est devenu sans conteste un acteur décisif et un élément de perturbation majeur du jeu politique turc.

6.

Le piège Daech

La consolidation relative de l'État islamique dans les zones sunnites d'Irak et, surtout, le succès de la « sortie par le haut » qui lui a permis de transcender le risque d'enfermement communautaire n'auraient bien entendu pas pu se produire sans l'expansion parallèle de l'espace contrôlé par les djihadistes sur un territoire syrien ravagé par la guerre. Le sort de l'Irak et celui de la Syrie sont désormais intimement liés. Il convient donc de revenir sur la dynamique de cette expansion avant d'examiner les formes d'organisation et de gouvernance que cet État émergent entend mettre en œuvre tant en Syrie qu'en Irak.

LE MOYEN-ORIENT ET L'ÉTAT ISLAMIQUE (NOVEMBRE 2014)

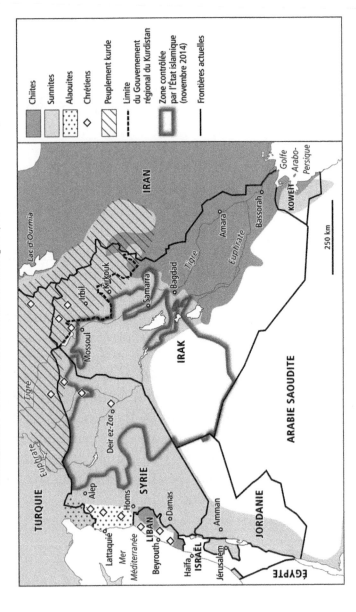

Légende :
- Chiites
- Sunnites
- Alaouites
- Chrétiens
- Peuplement kurde
- Limite du Gouvernement régional du Kurdistan
- Zone contrôlée par l'État islamique (novembre 2014)
- Frontières actuelles

250 km

TURQUIE

Mer Méditerranée

Lattaquié
Alep
Homs
Beyrouth
LIBAN
Damas
Haïfa
ISRAËL
Jérusalem
Amman
JORDANIE
ÉGYPTE

SYRIE
Deir ez-Zor
Euphrate
Tigre

Lac d'Ourmia
Mossoul
Kirkouk
Irbil
Samarra
Bagdad
Tigre
IRAK
Euphrate
Amara
Bassorah
KOWEIT
Golfe Arabo-Persique

IRAN

ARABIE SAOUDITE

Syrie, Irak : une expansion concomitante

À partir du moment où il commence à se diffé-
rencier de *Jabhat al-Nusra*, en 2013, l'État islamique déploie en Syrie une stratégie de conquête
notamment aux dépens des régions déjà occupées
par l'Armée syrienne libre ou par diverses milices
salafistes. C'est justement le cas de *Jabhat al-Nusra*,
qui a occupé Raqqa en mars 2013 avant d'en être
chassé entre décembre 2013 et janvier 2014 par
l'État islamique. Ce dernier en profite pour débau-
cher et coopter une partie des troupes de la milice
rivale, une stratégie qu'il reproduit ailleurs sur le
front syrien. L'État islamique occupe bientôt toute
la vallée de l'Euphrate, depuis Abou Kemal jusqu'à
Raqqa en passant par Deir ez-Zor, dans un mouvement qui coïncide pratiquement avec l'occupation
de Falloujah en Irak en janvier 2014.

Alors que, jusqu'en juin 2014, son expansion
syrienne obéit encore à une présence sur un territoire « en peau de léopard », on assiste, parallèlement à la consolidation du territoire djihadiste
dans les régions sunnites d'Irak et à une homogénéisation des zones contrôlées par l'État islamique
en Syrie. Ce qui se traduit notamment par l'occupation de la majorité des postes-frontières entre

Irak et Syrie, dans les provinces d'Al-Anbar et de Ninive côté irakien, de Deir ez-Zor, Homs et Hassaké côté syrien (une partie de ces postes-frontières a toutefois été reprise par les Kurdes d'Irak et l'armée irakienne en décembre 2014). On peut dire qu'à la fin 2014, en Syrie, il existe de fait deux territoires homogènes relativement conso-lidés, celui que contrôle le régime de Bachar al-Assad et celui de l'État islamique. Tout le reste subsiste dans une fragmentation extrême, avec des frontières mouvantes et des poches qui ne cessent de passer de main en main.

Tant en Syrie qu'en Irak, l'État islamique a mené deux avancées quasi concomitantes, mais avec une stratégie différente du fait des contextes de guerre distincts. Côté syrien, cette avancée s'est effectuée à la fois par pénétration de djihadistes ira-kiens en territoire syrien et par cooptation de dji-hadistes syriens. On trouve aujourd'hui à la tête de la hiérarchie de l'État islamique en Syrie tout à la fois des Syriens et des Irakiens, mais on observe une certaine propension des Irakiens à se pré-senter comme les leaders d'un mouvement auquel les Syriens doivent s'intégrer. D'après les témoi-gnages qui nous proviennent de Raqqa, la ville serait occupée par des miliciens qui sont souvent étrangers – il y aurait, en particulier, beaucoup de Tunisiens – dont les chefs sont généralement irakiens. Cette même logique hégémonique s'est manifestée, par exemple, lorsque Abou Bakr al-Bagdadi a déclaré unilatéralement, le 9 avril 2013, que *Jabhat al-Nusra* était la branche syrienne de l'État islamique en Irak et au Levant, avant que cette loyauté forcée ne soit dénoncée par les leaders syriens de *Jabhat al-Nusra*, qui ont réaffirmé, en juin de la même année, leur allégeance à Al-Qaïda. L'échec de cette « tentative d'OPA » et l'hostilité entre les dirigeants des deux groupes [1] n'ont pas empêché que, sur le terrain, on constate une migration constante d'une partie des troupes de *Jabhat al-Nusra* et d'autres milices salafistes vers les rangs de l'État islamique.

Et on comprend pourquoi. À partir du moment où un des acteurs en compétition dans le champ salafiste-djihadiste proclame l'instauration du califat (29 juin 2014), il crée de fait une dynamique d'allégeance ou de non-allégeance. Or, dans la mesure où le califat n'a pas été simplement proclamé depuis une grotte perdue en Afghanistan ou

---

1. En Irak, contrairement à ce qui se passe en Syrie, Al-Qaïda est intégrée à l'État islamique.

depuis un site salafiste sur Internet, mais où il s'appuie sur un minimum d'ancrage territorial, il s'agit de bien plus qu'un simple coup de force symbolique : on fait désormais face à une réalité dont la force d'attraction est démultipliée.

Ce qui distingue l'État islamique de tous les autres mouvements djihadistes, c'est bien la volonté d'appliquer la *charî'a* sur un territoire spécifique doté de son propre État et de ses propres institutions. Il y a là une rupture fondamentale avec la pratique d'Al-Qaïda dans la mesure où il offre aux communautés sunnites qu'il sollicite une « sortie vers le haut ». Al-Qaïda, en revanche, n'offre de son côté que le terrorisme et une guerre sans fin, avec une perspective très lointaine et peu réaliste d'instauration du califat.

La volonté affichée de construire un État

En juin 2014, l'État islamique en Irak et au Levant se transforme en État islamique. Si l'État islamique refuse les frontières, dans la pratique, il tient compte de façon assez réaliste des frontières ethniques et communautaires, comme le démontre, par exemple, le fait d'avoir renoncé à conquérir les territoires chiite et kurde en Irak. Localement, la majorité des combattants sur lesquels il s'appuie sont d'origine tribale, mais les troupes du califat comptent aussi une proportion importante de combattants étrangers, arabes, tchétchènes, originaires d'Asie centrale, ainsi que des jeunes en provenance de pays occidentaux, parmi lesquels une minorité de nouveaux convertis. Sur une armée d'environ 30 000 combattants, en Irak et en Syrie, le tiers serait composé d'étrangers.

S'il est avéré que l'État islamique s'est doté d'une série de fonctions correspondant à l'embryon d'un État moderne, la question de savoir qui en assure la direction réelle reste ouverte. De fait, personne ne peut sérieusement affirmer aujourd'hui qu'Abou Bakr al-Bagdadi est le véritable détenteur du pouvoir. À part le calife, la seule autre personnalité que les organes de propagande de l'État islamique mettent en avant est Abou Muhammad al-Adnani, le porte-parole officiel du groupe, originaire de la province d'Idlib en Syrie. Mais tout ce que l'on sait de l'organisation concrète de l'État islamique se fonde sur les observations partielles et les hypothèses émises par des chercheurs, des journalistes ou des services de renseignement plus ou moins proches du terrain.

On ne sait pas non plus s'il existe des luttes de pouvoir ou des dissensions internes au sein de l'État islamique, mais il apparaît clairement que la proclamation du califat joue aussi un rôle de représentation symbolique de l'unité (à l'image de l'unicité divine) du commandement. De fait, jusqu'ici, cette image d'unité sans faille que l'État islamique souhaite projeter a été respectée par les différents protagonistes à l'intérieur de l'organisation, qu'il s'agisse de possibles factions internes ou de tribus pourtant souvent indociles sur lesquelles il s'appuie en Irak et dans la région de Deir ez-Zor. Il est vrai que des membres de groupes tribaux ont été massacrés par l'État islamique à Al-Anbar, à Raqqa et à Deir ez-Zor, mais il ne s'agissait pas de factions qui s'étaient retournées contre les dijhadistes. Ces tribus rebelles avaient dès le départ ouvertement été hostiles à l'État islamique et avaient participé aux « conseils de réveil » en Irak, ou étaient des alliées de longue date du régime de Bachar al-Assad. C'est donc un des grands succès de l'État islamique que de n'avoir apparemment subi pour l'instant aucune défection notable, que ce soit parmi sa base ou dans la hiérarchie dirigeante.

Un futur État ?

Premier État salafiste à se revendiquer comme tel, l'État islamique innove dans de nombreux domaines. Il n'existe pas de ministères au sens strict au sein de l'État islamique, mais on y trouve une division fonctionnelle du travail et des départements administratifs spécialisés. La nomenclature même de ces fonctions et départements évoque à la fois la recréation imaginaire des premiers États musulmans de l'époque des Compagnons du Prophète et la spécialisation bureaucratique d'un État moderne. Le territoire a été subdivisé en sept administrations provinciales qui, de façon très significative, chevauchent parfois les frontières des États, de la province d'Alep à la province de Kirkouk (puisque l'État islamique contrôle une partie de cette région). La plus notable sur le plan de cette symbolique transnationale est la *wilayat* Al-Firat (la province de l'Euphrate), qui réunit la province syrienne de Deir ez-Zor avec une partie de la province irakienne d'Al-Anbar.

Un pouvoir judiciaire identifiable repose sur la nomination de juges religieux, les *qadis*, sur tout le territoire de l'État islamique. Ces *qadis* disposent d'une police chargée de faire respecter les décisions prises conformément à leur vision de la *charî'a*. En Irak, ces juges sont souvent d'ancien *qadis* sunnites qui se sont mis au service de l'État islamique, en même temps qu'une partie de l'*establishment* religieux préexistant – qui avait commencé à être infiltré par des salafistes dès l'époque de Saddam Hussein. Depuis, on a assisté à une osmose progressive entre ces ex- fonctionnaires de l'État baassiste et les insurgés djihadistes. Un autre corps fait respecter la *hisba*, créé sur le modèle des *muhtasibîn* institués par le calife Omar (634-644). Il s'agissait alors de fonctionnaires chargés de la police des marchés, du contrôle des poids et mesures et, d'une façon générale, de veiller à la bonne conduite de tous en public, éventuellement de réprimer les abus, conformément à la doctrine de la *hisba* fondée sur le principe coranique : « Encouragez ce qui est bon et interdisez ce qui est mauvais. » En l'occurrence, il s'agit d'une « police des mœurs » chargée de contrôler la conformité des comportements avec les normes drastiques de l'État islamique : absence de mixité, port du voile intégral dans l'espace public pour les femmes, interdiction de la musique et de la danse, interdiction de l'alcool, etc.

Les *qadis* et les *muhtasibîn* interviennent aussi dans des affaires de corruption. Le cas le plus célèbre est celui d'un des dirigeants de l'État islamique, Abou Mountazer, de nationalité syrienne, décapité et crucifié pour « vol et détournement de fonds » – même si, bien entendu, on ne peut pas exclure que cette sentence dissimulât des divergences politiques. La police des mœurs exerce aussi un contrôle très strict des prix sur les marchés et on connaît de nombreux cas d'exécution pour « spéculation et accaparement ».

Des reportages clandestins à Raqqa ont montré que les Brigades féminines Al-Khansa (du nom d'une poétesse légendaire du VIIe siècle convertie à l'islam et surnommée « la Mère des martyrs »), chargées de veiller à la conformité islamique de la tenue et du comportement des jeunes femmes locales, sont composées en majorité de jeunes Occidentales. D'après le témoignage d'une jeune Syrienne, « quand elles nous arrêtent dans la rue, la plupart du temps, on ne sait même pas ce qu'elles veulent nous dire parce qu'elles ne parlent pas l'arabe ou presque pas ». Ces miliciennes se chargent aussi de faire respecter la séparation stricte entre les deux sexes dans les transports en commun, dans les écoles et dans les lieux publics, toute mixité étant bannie et sévèrement réprimée. Les femmes qui sortent seules dans la rue doivent avoir sur elles un permis de sortie de leur tuteur (père, frère, etc.).

L'État islamique ne possède pas un pouvoir législatif au sens occidental du terme. La *charî'a* étant, seule, censée régler tous les problèmes de la vie, il n'est pas besoin d'autres lois. Le *majlis ach-Choura*, une assemblée consultative, tient lieu de pouvoir législatif, mais cet organisme n'obéit pas au principe de la majorité et n'a donc rien à voir avec un parlement de type islamiste tel qu'il existe en Iran. Pour des raisons pratiques, il y a un *majlis* en Irak et un en Syrie. Du côté irakien, y siègent un certain nombre de prédicateurs et d'imams de mosquée de l'époque de Saddam Hussein ainsi que des chefs de tribu et des notables de clan des grandes villes.

On trouve aussi au sein de l'organisation d'anciens officiers de l'armée de Saddam Hussein qui, pour certains, s'étaient déjà ralliés au salafisme avant même la chute du régime baassiste en 2003, tandis que d'autres ont rejoint plus tard l'État islamique sur la base d'un mélange variable d'opportunisme et de conviction sincère. Il ne faut pas oublier que le terrain de cette reconfessionnalisation des anciens baassistes avait déjà été préparé par Saddam lui-même à partir de la fin des années 1970. Le dictateur irakien, lors de la guerre contre l'Iran, commença à se présenter comme le défenseur de l'arabité et de l'islam sunnite contre l'« hérésie persane » chiite. Le discours islamique alors utilisé par le régime baassiste coïncide d'ailleurs parfois avec celui auquel a recours l'État islamique aujourd'hui – par exemple, Saddam glorifiait à l'époque également Al-Khansa. Or c'est aussi à cette poétesse polythéiste convertie à l'islam et dont tous les fils sont morts dans la bataille de la Qadissiya (636) contre les Perses polythéistes que doivent leur nom les miliciennes de la très cosmopolite brigade Al-Khansa, chargées de la police des mœurs.

Les anciens officiers baassistes convertis au salafisme djihadiste, on le sait, jouent aussi un rôle crucial au sein de l'armée et des services de renseignement, organes vitaux de l'État islamique. Une autre branche cruciale de cet appareil d'État en formation est la gestion des financements, qu'il s'agisse de trafic de pétrole, de ce qui a été récupéré dans les banques – notamment à Mossoul – ou des nombreux dons privés qui continuent à parvenir d'Arabie saoudite et de pays comme le Qatar, le Koweït ou les Émirats. Quant aux impôts islamiques, dont nous avons examiné les prémices et la logique au chapitre 1, ils reposent sur des prélèvements réguliers, avec des procédures et des barèmes qui se veulent formalisés.

L'éducation, qui vise bien entendu avant tout à faire de bons musulmans, est présentée comme une priorité par l'État islamique, qui insiste dans ses médias et ses organes de propagande sur la nécessité de rouvrir les écoles et les universités. On ne dispose toutefois que d'informations fragmentaires sur ce qui se passe à Mossoul ou à Raqqa dans ce domaine. Ce qu'on sait, c'est que, lorsque des établissements scolaires sont rouverts, des disciplines comme la philosophie, l'histoire et les sciences sociales y sont systématiquement bannies. D'autres, comme le dessin et les arts plastiques, sont également jugées sacrilèges parce que trop portées sur la représentation anthropomorphique. La musique et le sport sont eux aussi prohibés.

L'apprentissage du Coran et des hadiths se taille la part du lion. Les écoles qui fonctionnent à Raqqa disposent de livres inspirés de manuels saoudiens sans aucune photo ou dessin d'être humain. Dans un premier temps, l'État islamique a encouragé les fonctionnaires locaux de l'enseignement à rester sur place et, pendant plusieurs mois, ils ont même continué, côté syrien, à être payés par les autorités de Damas. Mais, aujourd'hui, notamment du fait de la guerre et des frappes de la coalition, l'activité scolaire à Raqqa se trouve extrêmement réduite.

En revanche, les universités de Mossoul ont recommencé à fonctionner. Une partie des professeurs qui ne se sont pas enfuis au Kurdistan ou à Bagdad ont accepté d'enseigner leurs disciplines lorsqu'elles sont autorisées. Mais les sciences dures sont également visées par la vigilance sourcilleuse de l'État islamique, en particulier la biologie darwinienne et certaines théories en physique et en chimie. Cet appauvrissement drastique du champ éducatif risque certes de poser des problèmes à l'État islamique à moyen terme, même si, dans cette phase de bouleversement révolutionnaire, la prochaine session du baccalauréat n'est pas vraiment la préoccupation numéro un. Pour ce qui est de la Syrie, dans le contexte de guerre civile, les écoles ne fonctionnent guère sur le reste du territoire, au point que les observateurs parlent du risque d'une génération entière de jeunes Syriens totalement analphabètes.

Propagande et communication : une grande sophistication

Un des facteurs clés du succès de l'État islamique est son appareil médiatique et, en particulier, sa cellule de communication sur Internet qui se fait appeler *Al-Furqan*. Cette cellule diffuse des vidéos spectaculaires d'exécutions et de décapitations d'« ennemis » et de « délinquants », de lapidations pour cause d'adultère, de mises à mort d'homosexuels, d'exécutions de masse, de destruction de lieux de culte « impies », comme les sanctuaires chiites, les tombeaux de saints soufis, ou même le tombeau du prophète biblique Jonas à Mossoul, qui a été dynamité. Sans parler de certains lieux archéologiques délibérément livrés au pillage… Le luxueux magazine de l'État islamique, *Dabiq*, mobilise les services de rédacteurs visiblement anglophones de naissance et de maquettistes professionnels de talent. Le titre a une évidente portée symbolique : Dabiq est un village situé au nord d'Alep, près de la frontière turque, et qui, d'après plusieurs hadiths, sera le site d'une ultime bataille avant le Jugement dernier dans le cadre d'une guerre de civilisations où les musulmans vaincront définitivement les armées des chrétiens. Byzance, puis Rome seront alors conquises.

La politique de communication de l'État islamique repose sur un mélange sophistiqué de publicité sensationnaliste, avec une savante mise en scène des crimes commis, et de secret hermétique, notamment une déconnexion entre la prédication universelle et la divulgation des enjeux locaux, quand bien même ces derniers pourraient aller dans son sens. Contre le factionnalisme des tribus polythéistes portées à la division et à la dissension, le strict monothéisme musulman résonne alors comme un désir d'unification, loin des périls des alliances locales et tribales. C'est ainsi que le grand rassemblement qui a eu lieu à Mossoul, fin juin 2014, au cours duquel une série de chefs de quartier et de clan ont juré qu'ils ne permettraient jamais le retour de la police et de l'armée irakiennes dans la ville n'a fait l'objet d'aucune mise en scène par les organes de propagande de l'État islamique. De même qu'on ne peut pas savoir, par exemple, si les images d'exécutions publiques diffusées sur Internet ont été prises en Syrie ou en Irak.

Ces mises en scène macabres semblent contrevenir à l'iconoclasme rigoureux du puritanisme salafiste. En réalité, elles obéissent à une stratégie iconographique très réfléchie et très rigoureuse de la part de l'État islamique. C'est ainsi que les médias de l'organisation ne reproduisent jamais un portrait du calife. Le sermon d'Abou Bakr al-Bagdadi à Mossoul a certes été diffusé sur You-Tube, mais pas en gros plan – c'est l'institution du califat qui parle du haut de sa chaire. Les seules figures humaines sont des foules indistinctes de combattants, ou bien des portraits de « mécréants ». Car lorsqu'il s'agit d'ennemis exécrés comme Barack Obama, François Hollande et quelques autres, on ne se prive pas de les afficher en gros plan…

Le traitement des minorités comme piège

Il est un aspect de la politique « intérieure » de l'État islamique sur lequel il convient de s'attarder, tant la diabolisation de cet État – appelée par la stratégie de provocation délibérée des djihadistes eux-mêmes – peut prêter à confusion : le traitement des minorités.

La question du sort des chrétiens est bien entendu extrêmement sensible en Occident, même si elle est parfois mal interprétée. Il n'est pas question de minimiser le destin tragique des plus vieilles communautés chrétiennes du monde, mais il faut souligner que le comportement de l'État islamique à leur encontre obéit à des règles, aussi aberrantes qu'elles puissent nous paraître, et que l'État islamique s'efforce de faire respecter ces règles. Les chrétiens, en tant que « Gens du Livre », ont le droit de rester sur le territoire contrôlé par l'État islamique en tant que « protégés », *dhimmis*[2], mais ce à condition de renoncer à une citoyenneté égale et de payer un impôt spécifique, la *jizya*. Leurs lieux de culte et leurs biens sont ainsi censés être respectés par les autorités musulmanes. Si se sont produites des attaques contre le palais épiscopal des Syriens catholiques et contre une cathédrale chaldéenne à Mossoul, il semble qu'il s'agisse là plutôt d'exactions non contrôlées.

Or l'État islamique a effectivement appliqué ces règles partout où il y avait des chrétiens. Il leur a été proposé un choix explicite entre la conversion à

---

2. « Protégé » : s'applique aux « Gens du Livre », les communautés religieuses reconnues comme monothéistes par l'islam (chrétiens, juifs, sabéens et zoroastriens).

l'islam, le statut de *dhimmi* avec paiement de la *jizya*, ou l'exil. Ceux qui refusaient de choisir s'exposaient à la mort. Dans une ville comme Raqqa, les chrétiens n'étaient plus que quelques dizaines et ils avaient besoin de protection – la guerre faisait rage à Alep et Damas était très difficile à atteindre. Ils ont donc pour la plupart accepté le statut de *dhimmis* et sont restés sur place. Leurs lieux de culte sont généralement respectés, moyennant certaines contraintes auxquelles ils n'ont d'autre choix que de se plier.

Les chrétiens de Mossoul, qui est le siège plusieurs évêchés et qui abrite une population chrétienne très importante, ont fait un autre choix. Les évêques des diverses confessions chrétiennes se sont réunis et ont décidé collectivement de ne pas accepter les conditions de l'État islamique. C'est donc l'exil qui a prévalu et les chrétiens de Mossoul se sont massivement réfugiés au Kurdistan. Mais, contrairement à ce qu'on entend parfois, on ne peut pas dire que les communautés chrétiennes ont été livrées à l'arbitraire total d'une politique d'éradication : des règles, sans aucun doute cruelles et odieuses, ont été relativement respectées. Désormais, il n'y a plus de chrétiens à Mossoul.

En revanche, en ce qui concerne les yézidis, il y a bien eu une politique impitoyable d'éradication fondée sur le fait qu'ils sont considérés par l'État islamique comme des hérétiques, des apostats qui ont renié l'islam et qu'ils ne peuvent donc pas bénéficier du statut de *dhimmis*. D'où la justification juridico-théologique de leur expulsion brutale et des atrocités commises contre eux, y compris la réduction en esclavage. Là encore, cette justification de l'asservissement d'êtres humains prétend renvoyer à l'islam des origines, qui a surgi dans des sociétés arabes polythéistes où l'esclavage était extrêmement répandu. La nouvelle religion s'est, de fait, présentée alors dans ce contexte sous un visage plutôt libérateur et les premiers docteurs de la loi islamique entendaient réguler la pratique de l'esclavage pour la limiter. Néanmoins, ce faisant, ils la légitimaient aussi puisque leur doctrine statuait qu'aucun musulman ne pouvait asservir un autre musulman – l'esclavage n'était pas aboli en tant que tel. Tout au plus était-il précisé, entre autres atténuations, qu'il était vivement conseillé de bien traiter ses esclaves ou que les affranchir vous attirait les faveurs d'Allah. Bien entendu, sous les empires musulmans, les pratiques esclavagistes ont continué à prospérer avec diverses justifications politiques et religieuses, jusqu'à leur abolition au début des réformes dites des Tanzimat (1839-1876) mises en œuvre par les Ottomans. Ce qui n'a pas empêché des situations assimilables à de l'esclavage de se perpétuer bien au-delà de cette date, comme celles – que nous avons décrite – des paysans chiites en Irak ou, de nos jours, de nombre de travailleurs immigrés en Arabie saoudite et dans le Golfe, sans parler de nombreux pays du Sahel. Aujourd'hui, l'esclavage est condamné par les autorités religieuses officielles comme Al-Azhar, mais il est revendiqué contre les polythéistes et d'autres catégories parfois floues par les groupes djihadistes et par l'État islamique en particulier, qui y voient le triple avantage de prétendre revenir aux principes de l'islam des Compagnons du Prophète, de pouvoir terroriser les « mécréants » et de provoquer les Occidentaux. En ce qui concerne les femmes et les enfants, un numéro de la revue *Dabiq* justifie leur esclavage en référence à des pratiques courantes aux premiers temps de l'islam.

Nous y avons déjà fait allusion au début de cet ouvrage, tout se passe en effet comme si l'État islamique avait consciencieusement « listé » tout ce

qui peut révulser les opinions publiques occidentales : atteintes aux droits des minorités, aux droits
des femmes, avec notamment le mariage forcé,
exécutions d'homosexuels, rétablissement de
l'esclavage, sans parler des rumeurs infondées que
l'État islamique ne cherche pas vraiment à
démentir, comme celle de l'excision obligatoire
des femmes (alors qu'en Irak, cette coutume est
plutôt le fait de certaines régions kurdes). Sans
même parler des scènes de décapitations et d'exécutions de masse.

Mais, loin de se réduire aux caprices d'une
idiosyncrasie culturelle barbare, le discours de
l'État islamique porte une puissante dimension
universaliste qui séduit bien au-delà de sa base
arabe sunnite moyen-orientale. Quand on relit *Le
Choc des civilisations* de Samuel Huntington, on
est frappé du jeu de miroirs qui s'instaure avec les
conceptions du salafisme djihadiste. L'État islamique reprend parfois mot pour mot les thèses de
Huntington afin de mettre en scène un tel « choc
des civilisations ». Il ne s'agit pas d'un conflit entre
deux cultures, entre Orient et Occident, entre arabité et monde euro-atlantique, mais d'un choc
de titans entre islam et mécréance. Et, dans
l'islam, tout le monde est le bienvenu, même des

Européens blonds aux yeux bleus d'origine catholique, de même que la mécréance inclut aussi bien des Arabes et des mauvais musulmans. C'est donc un discours très universaliste et désengagé des enjeux locaux, mais qui ne tient paradoxalement son pouvoir d'attraction – autrement plus puissant que celui d'Al-Qaïda – que du fait que l'État islamique est aussi enraciné dans un territoire. C'est tout à la fois cette universalité transcendant tout particularisme étroit et cet enracinement dans la construction d'une « utopie » concrète sur le terrain qui rencontrent un écho important parmi certains jeunes vivant en Occident.

En insistant sur l'histoire coloniale de la région, l'État islamique touche à un thème qui « parle » dans des pays comme la France, la Grande-Bretagne ou les États-Unis. En présentant les musulmans comme d'éternelles victimes d'un Occident dominateur et mécréant, il cristallise le sentiment diffus d'injustice de certains jeunes. Par ailleurs, les chefs de l'État islamique sont fort bien informés de la façon dont fonctionne la scène politique dans les pays occidentaux, du poids de l'opinion publique et du fait que les dirigeants y sont très sensibles aux émotions du moment. C'est en manipulant ces ressorts qu'ils ont pleinement atteint leur objectif : voir se former rapidement une coalition militaire, dirigée par les Américains et ce, avant même que cette coalition ait pu définir le moindre objectif politique pour la région.

Conclusion

À bien des égards, l'État islamique est parvenu à ses fins en impliquant l'Occident dans sa guerre. Si les initiateurs occidentaux de la coalition anti-Daech ont identifié un danger prioritaire, non seulement pour les États de la région, mais pour les démocraties occidentales, ils n'assument pas leur entrée en guerre jusqu'au bout en n'envoyant pas de troupes au sol. Pire, ils s'en remettent sur le terrain à des partenaires qui sont coresponsables de l'effondrement de l'ordre étatique au Moyen-Orient : l'armée irakienne et les Kurdes aujourd'hui, et demain, peut-être, Bachar al-Assad…

Surtout, la coalition anti-Daech n'a strictement aucune perspective politique à offrir aux populations qui se sont ralliées à l'État islamique, ou bien qui se sont résignées à sa domination comme un moindre mal par rapport aux régimes oppressifs sous lesquels elles ont souffert en Irak et en Syrie.

La réforme du système politique irakien est aujourd'hui impossible. On ne refera pas le coup des « conseils de réveil » aux Arabes sunnites d'Irak et la « solution » d'un fédéralisme poussé à son extrême, avec une garde « nationale » sunnite, est un leurre. Lorsque Laurent Fabius, par exemple, parle d'« aider le gouvernement de Bagdad à rétablir sa souveraineté », se rend-il compte que c'est certainement aujourd'hui la dernière chose que souhaitent les habitants de Mossoul, de Tikrit et de Falloujah ? Et que pourrait signifier la défaite militaire de l'État islamique en Syrie si on se montre incapable de régler la question du régime de Bachar al-Assad et, au-delà, la question de la fragmentation de la Syrie ? Les diplomaties occidentales ne semblent pas prendre la mesure du caractère irréversible de ce qui arrive aujourd'hui aux États du Moyen-Orient.

2014 pourrait bien être l'année où tout a basculé. Sur le territoire de l'État irakien, trois entités à prétentions étatiques se font désormais face. Chacun a son territoire, son armée, son drapeau (et même sa monnaie pour l'État islamique !), ses institutions. Le gouvernement de Bagdad ne représente plus que des élites parlant au nom de la communauté chiite majoritaire. Le Kurdistan a tous les attributs de la souveraineté à laquelle ne manque plus qu'une reconnaissance régionale et internationale. L'État islamique a prospéré sur le conflit confessionnel croissant entre sunnites et chiites à l'échelle régionale. Ce conflit est né de l'incapacité des États en place à accueillir sur une base citoyenne le mouvement d'émancipation politique et social des communautés chiites du monde arabe. L'État islamique, dont la base est arabe sunnite, a déclaré la guerre à tous dans un coup de poker magistral dont l'issue demeure inconnue.

Le gouvernement de Bagdad tente de maintenir la fiction d'une représentation « nationale ». Mais la présence au gouvernement des Kurdes, qui jouent leur propre partition, et de quelques politiciens sunnites honnis par leur propre communauté ne doit pas faire illusion. Le 17 octobre 2014, le gouvernement irakien a approuvé les dernières nominations au sein du gouvernement de Haydar al-Abbadi. Un sunnite de Mossoul, Khaled al-Ubaydi, est devenu ministre de la Défense. Un chiite, Muhammad al-Ghabban, a été promu ministre de l'Intérieur.

Khaled al-Ubaydi est proche du nouveau vice-président (sunnite) Ussama al-Nujayfi (ex-président du Parlement irakien) et de son frère, Atheel al-Nujayfi, gouverneur de la province de Ninive, qui avait couvert de son autorité les abus (le mot est faible) à l'encontre des Mossouliotes, avant de fuir face à l'avancée de l'État islamique. Muhammad al-Ghabban appartient à la puissante milice chiite, le Corps Badr, entraîné et armé par les *pasdaran* iraniens. En tant que ministre de l'Intérieur, c'est lui qui a la haute main sur les services de renseignement, ce qui lui donne une autorité également sur les forces armées. Les dirigeants irakiens étaient sommés par les Américains et les Européens de former un gouvernement « inclusif »… les voilà servis !

Bagdad est désormais défendue par plusieurs milices chiites dont chacune s'est vu attribuer un secteur : le Corps Badr, *Asâ'ib Ahl al-Haqq* (la Ligue des Vertueux, une émanation de l'Armée du Mahdi de Muqtada al-Sadr), *Jaysh as-Salâm* (l'Armée de la Paix, représentant le courant sadriste) et d'autres… Ces milices répondent aussi à l'appel au djihad contre les « *takfiri* » (les excommunicateurs, nom donné aux djihadistes par leurs adversaires musulmans) lancé en juin 2014 par les plus hautes autorités religieuses chiites, l'ayatollah Sistani en tête. On se souvient que Nouri al-Maliki, le prédécesseur d'Al-Abbadi, avait présenté ces milices comme le noyau de la future armée irakienne… Ce qui n'empêche pas l'État islamique de continuer à semer la terreur à Bagdad par des attentats quotidiens visant les chiites.

Il est difficile, dans ces conditions, d'affirmer que l'État irakien existe encore. D'autant plus que la confrontation est devenue régionale : le Hezbollah combat l'opposition au régime de Bachar al-Assad en Syrie même, les milices chiites irakiennes font de même, les djihadistes syriens occupent la ville libanaise d'Arsal, les peshmergas kurdes irakiens passent par la Turquie pour combattre l'État islamique à Kobané en Syrie, le PKK de Turquie participe à l'offensive lancée fin décembre 2014 contre l'État islamique dans le Jabal Sinjar en Irak…

Il est évidemment difficile de prédire l'avenir de l'État islamique, aujourd'hui pris en tenaille entre des forces hostiles de tous côtés. Mais sa défaite militaire ne réglerait rien si les causes de son succès initial ne sont pas prises en compte. Les anciennes puissances mandataires ont beaucoup de mal à assumer leur passé colonial. Beaucoup des idéaux proclamés de la colonisation, et plus particulièrement des mandats, inspirés des Lumières, se sont trouvés en contradiction avec la réalité d'une domination impériale. Il suffit de se souvenir de Jules Ferry, le père de notre école laïque, défendant bec et ongles la colonisation de la Tunisie… La « mission civilisatrice » de l'Europe a servi de couverture à des appétits coloniaux sans limite. Ce refus d'assumer le passé explique la difficulté des diplomaties occidentales à prévoir un futur pour le Moyen-Orient.

Une longue période historique s'achève : on ne reviendra pas au Moyen-Orient que nous avons connu depuis près d'un siècle. Une guerre lancée sans perspectives politiques n'est-elle pas perdue d'avance ? C'est le piège que l'État islamique tend aux démocraties occidentales pour lesquelles il représente certainement un danger mortel. Les leçons de l'Histoire doivent aussi servir à le combattre.

28 décembre 2014.

Repères chronologiques

1914 : débarquement des premiers détachements britanniques à Fao dans le sud de l'Irak ottoman.

Novembre et décembre 1914 : appel au djihad lancé par les oulémas chiites d'Irak contre l'occupation britannique.

3 janvier 1916 : accords secrets Sykes-Picot sur le partage du Moyen-Orient entre la France et la Grande-Bretagne.

1916 : Révolte arabe contre les Ottomans conduite par le chérif Hussein de La Mecque en réponse aux promesses britanniques (correspondance Hussein-Mc Mahon).

1918-1920 : Royaume arabe de Syrie avec Fayçal.

Avril 1920 : conférence de San Remo ; attribution de mandats à la France et la Grande-Bretagne sur des mini-États arabes : Irak, Syrie, Liban, Transjordanie.

Juin à novembre 1920 : révolution de 1920 en Irak contre le mandat britannique.

Juillet 1920 : les nationalistes syriens sont défaits à Maysaloun près de Damas par l'armée française.

10 août 1920 : traité de Sèvres prévoyant l'indépendance du Kurdistan et de l'Arménie.

1921 : chassé de Syrie par les Français, Fayçal est couronné roi d'Irak à Bagdad.

24 juillet 1923 : le traité de Lausanne renie toutes les promesses faites aux Kurdes et aux Arméniens.

1923 : exil par les Britanniques des grands ayatollahs chiites d'Irak vers l'Iran.

1925 : révolte du Jabal Druze en Syrie contre les Français.

1943 : confessionnalisme politique au Liban.

1968 : arrivée au pouvoir du tandem Hassan al-Bakr/Saddam Hussein en Irak.

1970 : arrivée au pouvoir de Hafez al-Assad en Syrie.

1975-1990 : guerre civile au Liban.

1980-1988 : guerre entre l'Iran et l'Irak.

1982 : écrasement sanglant des Frères musulmans à Hama et Alep en Syrie.

1990 : occupation du Koweït par l'Irak.

1991 : seconde guerre du Golfe qui aboutit à la défaite de l'armée irakienne.

Février-mars 1991 : *intifâda* généralisée des chiites et des Kurdes contre le régime de Saddam Hussein.

1991-2003 : mise sous tutelle de l'Irak au nom de la communauté internationale.

2003 : troisième guerre du Golfe : occupation américaine de l'Irak, chute du régime de Saddam Hussein et effondrement de l'État irakien.

Août 2003 : premier conseil de gouvernement irakien sous le patronage américain.

2003-2004 : premiers soulèvements de Falloujah contre les Américains.

2005-2008 : guerre confessionnelle entre chiites et sunnites en Irak.

2006 : Al-Qaïda en Irak forme avec cinq autres groupes djihadistes le Conseil consultatif des moudjahidin en Irak. Le 13 octobre, le Conseil consultatif proclame l'État islamique en Irak.

2011 : début des printemps arabes ; manifestations en Syrie contre le régime de Bachar al-Assad.

Mi-2011 : création de *Jabhat al-Nusra* en Syrie.

Décembre 2011 : retrait des derniers soldats américains d'Irak.

Mars 2013 : Raqqa tombe aux mains de *Jabhat al-Nusra* en Syrie.

9 avril 2013 : l'État islamique en Irak devient l'État islamique en Irak et au Levant (Daech). *Jabhat al-Nusra* est présentée comme la branche syrienne de l'État islamique.

Juin 2013 : divorce entre l'État islamique en Irak et au Levant et *Jabhat al-Nusra* qui renouvelle son allégeance à Al-Qaïda. Le chef d'Al-Qaïda, Ayman az-Zawahiri, invalide la mainmise de l'État islamique sur la Syrie.

Décembre 2013 : l'État islamique en Irak et au Levant occupe Raqqa et Deir ez-Zor en Syrie.

Janvier 2014 : Falloujah tombe aux mains de l'État islamique en Irak et au Levant.

10 juin 2014 : Mossoul, Tikrit et la majeure partie de la province d'Al-Anbar tombent aux mains de l'État islamique.

13 juin 2014 : l'ayatollah Sistani appelle au djihad contre l'État islamique.

29 juin 2014 : Abou Bakr al-Bagdadi se proclame calife des musulmans ; l'État islamique en Irak et au Levant se transforme en État islamique.

Août 2014 : l'État islamique occupe le Jabal Sinjar et la plaine de Mossoul en direction du Kurdistan.

Août 2014 : mise en place d'une vaste coalition anti-Daech de vingt-deux pays menée par les États-Unis et les pays occidentaux.

Août-septembre 2014 : les premières frappes contre des positions de l'État islamique débutent le 8 août 2014 en Irak et le 23 septembre en Syrie.

15 septembre 2014 : conférence anti-Daech à Paris où trente pays s'engagent à faire la guerre à l'État islamique.

16 septembre 2014 : début du siège de la ville kurde de Kobané en Syrie par l'État islamique.

Table des matières

FIRMIN-DIDOT

Composition Facompo, Lisieux.
Achevé d'imprimer par CPI Firmin-Didot
à Mesnil-sur-l'Estrée.
Dépôt légal du 1ᵉ tirage : février 2015
Suite du 1ᵉʳ tirage (5) : mars 2015
Numéro d'imprimeur : 127800
Imprimé en France